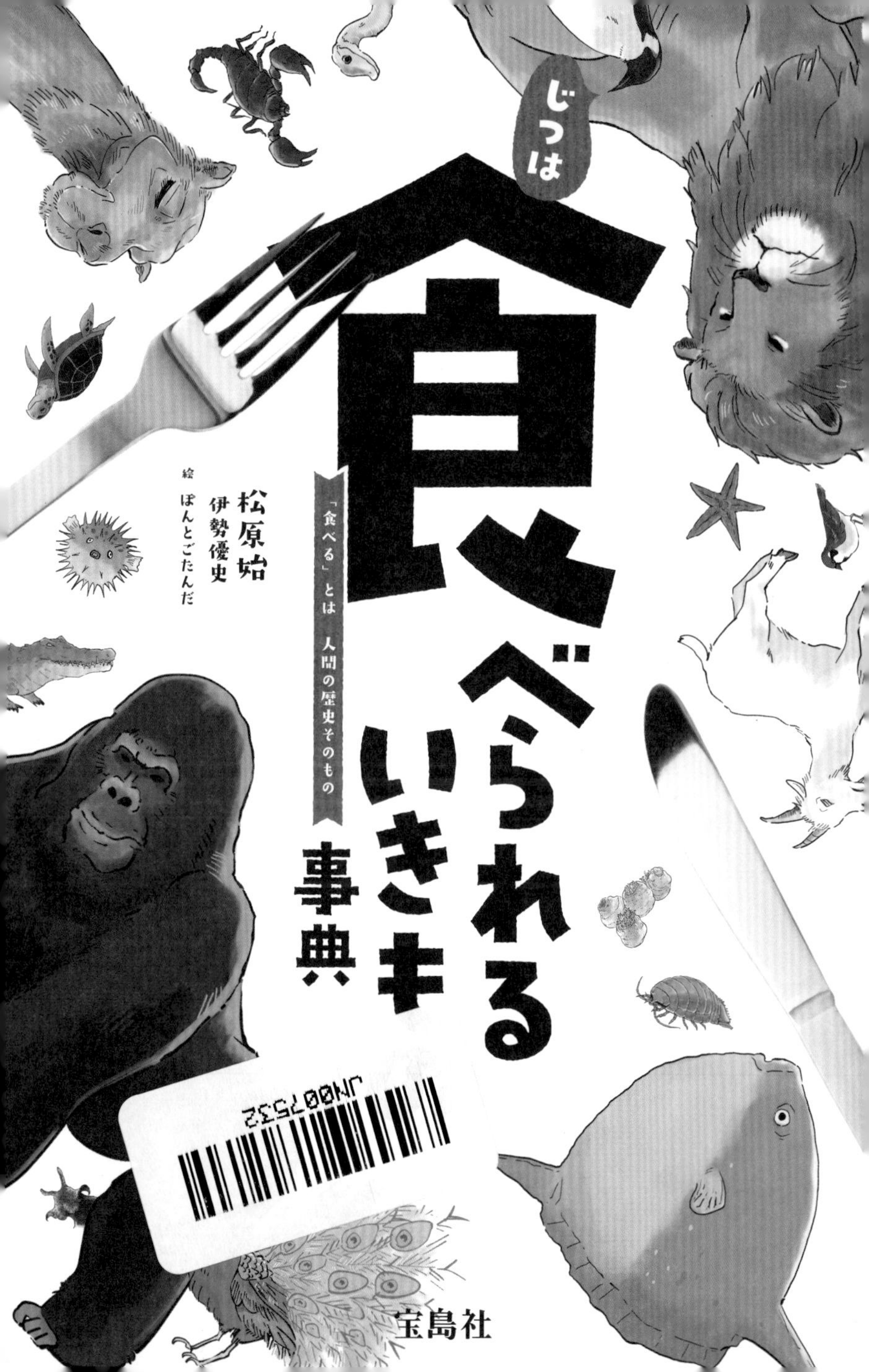

じつは食べられるいきもの事典

「食べる」とは　人間の歴史そのもの

松原始
伊勢優史
絵　ぽんとごたんだ

宝島社

はじめに

昔《むかし》、山《やま》の中《なか》でサルの調査《ちょうさ》をしていて、食料《しょくりょう》をギリギリまで減《へ》らしたことがありました。山《やま》が険《けわ》しいので荷物《にもつ》を軽《かる》くしたかったからです。調査《ちょうさ》はうまくいきましたが、とにかくお腹《なか》が減《へ》って大変《たいへん》でした。山《やま》から下《お》りてきたら仲間《なかま》が豚《ぶた》の角煮《かくに》を作《つく》って待《ま》っていてくれたのですが、それを見《み》た瞬間《しゅんかん》、もう豚肉《ぶたにく》しか見《み》えなくなりました。食《た》べるって大事《だいじ》ですね。

みなさんは今日《きょう》、何《なに》を食《た》べたでしょう。ご飯《はん》、パン、肉《にく》、魚《さかな》、野菜《やさい》……人間《にんげん》はいろいろなものを食《た》べています。

その中《なか》には、「えっ」と思《おも》うようなものもあります。例《たと》えば、虫《むし》。虫《むし》を食《た》べるなんて気持《きも》ち悪《わる》い、と思《おも》うでしょうか？　でも、日本《にほん》ではみんな食《た》べるイカやタコも、ヨーロッパの人はあまり食《た》べません。そうか、外国《がいこく》なら虫《むし》を食《た》べるかも？　でも、日本《にほん》でもイナゴやハチの幼虫《ようちゅう》を食《た》べることはあります。考《かんが》えてみたら、虫《むし》を食《た》べてはいけない理由《りゆう》は何《なに》もないのです。

これは食《た》べ物《もの》だけど、こっちは食《た》べ物《もの》じゃない、なんて決《き》めつける必要《ひつよう》はありません。もともと人間《にんげん》は手《て》に入《はい》るものをなんでも食《た》べて生《い》きて来《き》た、雑食性《ざっしょくせい》の動物《どうぶつ》です。料理《りょうり》することで、よりおいしく食《た》べられるようにもなりました。

その一方《いっぽう》、忘《わす》れてはいけないことがあります。食《た》べることは生《い》きるために絶対《ぜったい》に必要《ひつよう》だ、という事実《じじつ》です。まずいとか、気持《きも》ち悪《わる》いとか、そんなことよりも先《さき》に、「食《た》べないと死《し》ぬ」、これが食《た》べることの基本《きほん》です。動物《どうぶつ》はみんなそうやって生《い》きています。そして、人間《にんげん》も動物《どうぶつ》なのです。

この本《ほん》はわざとヘンなものを食《た》べて面白《おもしろ》がる本《ほん》ではありません。「これも普通《ふつう》に食《た》べられるんだ！」と思《おも》ってもらうための本《ほん》です。食《た》べることは相手《あいて》の命《いのち》をいただくことでもありますから、面白半分《おもしろはんぶん》にそんなことをしたらかわいそうです。食《た》べるなら本気《ほんき》で、まじめに食《た》べましょう。

この本《ほん》を読《よ》んで、「あ、なんだかお腹《なか》へった」と思《おも》ってもらえたら、大成功《だいせいこう》です。

松原《まつばら》 始《はじめ》（動物行動学者《どうぶつこうどうがくしゃ》）

もくじ

じつは食《た》べられるいきもの事典《じてん》

INDEX

INDEX

じつは食《た》べられるいきもの事典《じてん》　もくじ

INDEX

じつは食《た》べられるいきもの事典《じてん》　もくじ

第《だい》3章《しょう》 じつは食《た》べられる虫《むし》のなかまたち

第《だい》4章《しょう》 日本以外《にほんいがい》ではあまり食《た》べられない生《い》き物《もの》たち

INDEX じつは食《た》べられるいきもの事典《じてん》 もくじ

第《だい》5章《しょう》 過去《かこ》に食《た》べられた生《い》き物《もの》たち

マンガ

食《た》べることは生《い》きること

by ぽんとごたんだ

ごはん
できたよ～
わ～い！
今日《きょう》は
カレーだ
よ～
いただき
ま～す！
みなさんの
家《いえ》の食卓《しょくたく》には
さまざまな
生《い》き物《もの》が
ならんでいます
MILK

今《いま》では普通《ふつう》に食《た》べられている食材《しょくざい》ですが
おいしー
人類《じんるい》の長《なが》い歴史《れきし》でみると
食《た》べられ出《だ》したのはつい「最近《さいきん》」のことでした
なに食べてんの？
およそ250万年前《まんねんまえ》
野生《やせい》の生《い》き物《もの》を狩《か》りをして食《た》べ
ウラララー
約50万年《まんねん》前《まえ》から
火《ひ》を使《つか》いこなして料理《りょうり》をし
そして約1万年前《まんねんまえ》
ヒツジやブタを飼《か》い米《こめ》や麦《むぎ》をつくり食《た》べるようになりました
その何百万年《なんびゃくまんねん》という歴史《れきし》の中《なか》で
多《おお》くの生《い》き物《もの》を食《た》べてきました

食《た》べることは生《い》きること

時代《じだい》とともに
どんどん変《か》わっていく「食《た》べる」こと
今《いま》は食《た》べ物《もの》のイメージのない生《い》き物《もの》も
リンリーン♪
50年後《ねんご》 100年後《ねんご》には
普通《ふつう》に食《た》べられている時代《じだい》が来《く》るかもしれません
よく食《た》べる生《い》き物《もの》と
ごちそうさまでした!
そうでない生《い》き物《もの》の違《ちが》いは何《なに》か
食《た》べてはいけない生《い》き物《もの》とは何《なん》なのか
すいぞくかん
いつかこの本《ほん》を読《よ》んだあなたの知識《ちしき》が
わ〜っ
役《やく》に立《た》つ日《ひ》が来《く》るかもしれません

「知《し》っておくと理《り》解《かい》が深《ふか》まる」用語《ようご》解説《かいせつ》

【ジビエ】…野生《やせい》の生《い》き物《もの》をつかまえ、その肉《にく》を食《た》べること。あるいは、その肉《にく》。もとはフランス語《ご》。

【白身魚《しろみざかな》】…身《み》が赤《あか》くなく、白《しろ》い魚《さかな》のこと。タイやヒラメ、スズキなど多数《たすう》。基本的《きほんてき》にはあっさりした味《あじ》が特徴《とくちょう》。

【深海魚《しんかいぎょ》】…簡単《かんたん》に言《い》うと海《うみ》の深《ふか》いところに住《す》んでいる魚《さかな》のこと。キンメダイやタラ、アンコウなど。

【伝統食《でんとうしょく》】…ある地域《ちいき》で昔《むかし》から受《う》け継《つ》がれてきた特徴的《とくちょうてき》な食《た》べ物《もの》や食《た》べ方《かた》のこと。日本《にほん》にも各地《かくち》にさまざまな伝統食《でんとうしょく》がある。

【珍味《ちんみ》】…食材《しょくざい》や食《た》べ方《かた》が一般的《いっぱんてき》ではなかったり、ある地域《ちいき》でしか食《た》べられなかったりするような、珍《めずら》しくておいしいもののこと。

【家畜《かちく》】…食《た》べたり皮《かわ》を使《つか》ったりするために、人間《にんげん》が数《かず》を調整《ちょうせい》して飼育《しいく》している生《い》き物《もの》のこと。ウシ、ブタ、ニワトリなど。

【たんぱく源《げん》】…人間《にんげん》にとって大事《だいじ》な栄《えい》養素《ようそ》であるたんぱく質《しつ》を含《ふく》んだ食材《しょくざい》のこと。

【雑食性《ざっしょくせい》】…動物《どうぶつ》の肉《にく》と植物《しょくぶつ》の両方《りょうほう》を食《た》べること。人間《にんげん》は雑食《ざっしょく》。

【寄生虫《きせいちゅう》】…人《ひと》や動物《どうぶつ》の体内《たいない》や表面《ひょうめん》にとりつく小《ちい》さな生《い》き物《もの》のことで、食《た》べると食中毒《しょくちゅうどく》や病気《びょうき》の原因《げんいん》となる。多《おお》くのものは加熱《かねつ》することで死滅《しめつ》するが、冷凍《れいとう》が有効《ゆうこう》な種《しゅ》もいる。

【絶滅危惧種《ぜつめつきぐしゅ》】…放《ほう》っておくと地球上《ちきゅうじょう》から消《き》え去《さ》ってしまう可能性《かのうせい》のある、野《や》生《せい》の生《い》き物《もの》のこと。

【天然記念物《てんねんきねんぶつ》】…文化的《ぶんかてき》に価値《かち》があると国《くに》が定《さだ》めた生《い》き物《もの》や植物《しょくぶつ》、自然環境《しぜんかんきょう》などのこと。保存《ほぞん》の対象《たいしょう》となり、勝手《かって》にとったり荒《あ》らしてはいけない。特《とく》に価値《かち》が高《たか》くて大事《だいじ》なものは「特別天然記念物《とくべつてんねんきねんぶつ》」とされる。

【外来種《がいらいしゅ》】…もともといなかった地域《ちいき》に、人間《にんげん》によって他《ほか》の地域《ちいき》から持《も》ちこまれた生《い》き物《もの》のこと。

【害獣駆除《がいじゅうくじょ》】…田畑《たはた》を荒《あ》らすなど、人間《にんげん》の暮《く》らしに害《がい》を与《あた》える生《い》き物《もの》を退治《たいじ》すること。

データの見《み》方《かた》

食用《しょくよう》にする国《くに》・地域《ちいき》…その生《い》き物《もの》を食《た》べる文化《ぶんか》のある主《おも》な国《くに》や有名《ゆうめい》な地域《ちいき》をのせています
代表的《だいひょうてき》な料理《りょうり》…国《くに》や地域《ちいき》によって食《た》べ方《かた》がちがう場合《ばあい》がありますが、
知《し》られている主《おも》な料理《りょうり》をのせています
レア度《ど》…日本《にほん》を基準《きじゅん》に食材《しょくざい》としての手《て》に入《はい》りやすさ、食《た》べられる機会《きかい》（地域《ちいき》や店《みせ》）の多《おお》さ、
生物《せいぶつ》の個体数《こたいすう》などをもとに本書《ほんしょ》で独自《どくじ》に判断《はんだん》しています

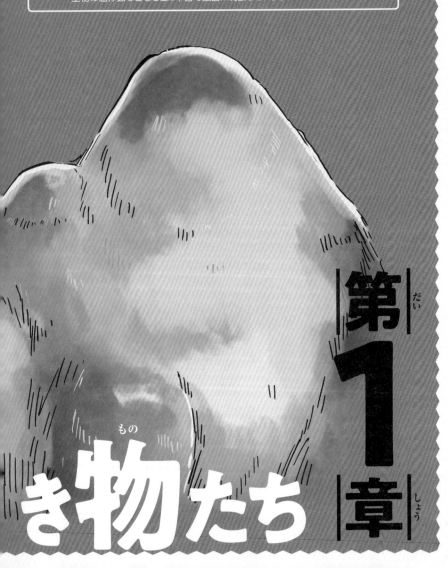

第《だい》1章《しょう》 き物《もの》たち

じつは

食《た》べられる

陸《りく》空《そら》の生《い》

シカ肉《にく》は

ノーベル賞《しょう》授賞式《じゅしょうしき》の晩餐会《ばんさんかい》でメインディッシュに使《つか》われている

DATA データ

分類《ぶんるい》	食用《しょくよう》にする国《くに》・地域《ちいき》	代表的《だいひょうてき》な料理《りょうり》	味《あじ》のとくちょう
ほ乳類《にゅうるい》	ヨーロッパ、日本《にほん》	ソテー、ロースト	さっぱりしている

狩猟《しゅりょう》でとれる野生《やせい》の生《い》き物《もの》の肉《にく》を「ジビエ」と言《い》います。ジビエはヨーロッパで人気《にんき》の、高《こう》級食材《きゅうしょくざい》。**昔《むかし》の貴族《きぞく》には自分《じぶん》たちが持《も》つ広《ひろ》い土地《とち》でシカを捕《つか》まえて食《た》べる伝統《でんとう》があり**、それが今《いま》にも伝《つた》わっているのです。

人類《じんるい》にとって役立《やくだ》つ働《はたら》きをした人《ひと》に贈《おく》られる「ノーベル賞《しょう》」の受賞者晩餐会《じゅしょうしゃばんさんかい》では、シカ肉《にく》を使《つか》った料理《りょうり》が定番《ていばん》。授賞式《じゅしょうしき》が開《ひら》かれるストックホルムもまた、狩猟《しゅりょう》の歴史《れきし》がある土地《とち》です。

シカ肉《にく》は、脂《あぶら》の少《すく》ない赤身《あかみ》がおいしい!

シカ肉《にく》は日本《にほん》でも昔《むかし》から食《た》べられてきましたが、**肉食《にくしょく》が禁止《きんし》された時代《じだい》を経《へ》て、いつの間《ま》にかなじみのない肉《にく》に**なってしまいました。

ですが、ジビエ料理《りょうり》としては全国《ぜんこく》で広《ひろ》く食《た》べられています。シカの脂《あぶら》は高《たか》い温度《おんど》でないと溶《と》けないので、舌触《したざわ》りが悪《わる》く、消化《しょうか》にも良《よ》くないそう。そのため、料理《りょうり》に使《つか》われるのは背《せ》ロースやもも肉《にく》などの、脂《あぶら》の少《すく》ない赤身《あかみ》。

シカは大《おお》きく分《わ》けると、ウシの仲間《なかま》。胃《い》が4つあり、反《はん》すう(飲《の》みこんだ食《た》べ物《もの》を、もう一度《いちど》口《くち》に戻《もど》してかむこと)できます。でも、味《あじ》は牛肉《ぎゅうにく》と同《おな》じではありません。**野生《やせい》の肉《にく》は気候《こう》など自然《しぜん》の状況《じょうきょう》に左右《さゆう》される**ので、家畜《かちく》のように一定《いってい》の味《あじ》にはなりません。そこがまた、魅力《みりょく》とも言《い》えるのです。

料理例《りょうりれい》

シカ肉《にく》のロースト

しっとりジューシーで野性《やせい》みも!

日本人《にほんじん》は大昔《おおむかし》からイノシシをつかまえて食《た》べている

DATA データ

分類《ぶんるい》	食用《しょくよう》にする国《くに》・地域《ちいき》	代表的《だいひょうてき》な料理《りょうり》	味《あじ》のとくちょう
ほ乳類《にゅうるい》	日本《にほん》、ヨーロッパ	鍋《なべ》、ソテー	豚肉《ぶたにく》のようで豚肉《ぶたにく》でないうまみ

「山《やま》のクジラ」とは、何《なん》の生《い》き物《もの》のことか知《し》っていますか？　答《こた》えはイノシシです。かつて、日本《にほん》には獣《けもの》の肉《にく》を食《た》べることを禁止《きんし》されていた時代《じだい》がありました。

しかし、力《ちから》がついて元気《げんき》になる肉《にく》は、みんなが食《た》べたい食材《しょくざい》です。そこでイノシシを「山《やま》クジラ」と呼《よ》び「獣《けもの》の肉《にく》ではないよ」ということにして、食《た》べていたのです。

イノシシの肉《にく》は、とてもキレイな赤《あか》色《いろ》。スライスしたものを皿《さら》に盛《も》りつけると、ぼたんの花《はな》のように見《み》えるため、イノシシ肉《にく》は「ぼたん」という名前《なまえ》でも呼《よ》ばれています。

イノシシとブタの味《あじ》が似《に》ている理由《りゆう》

イノシシを食《た》べてきた歴史《れきし》はとても古《ふる》く、旧《きゅう》石器時代《せっきじだい》には、落《お》とし穴《あな》を使《つか》って捕《つか》まえていたようです。

わたしたちがよく食《た》べているブタはもともと、イノシシを飼育《しいく》して繁殖《はんしょく》できるように改良《かいりょう》された生《い》き物《もの》。なので、**イノシシはブタの味《あじ》と似《に》ていますが、食《た》べ比《くら》べるとイノシシの方《ほう》が少《すこ》しあっさり**しています。

イノシシの肉《にく》は、静岡県《しずおかけん》伊豆《いず》の天城山《あまぎさん》、兵庫《ひょうご》県《けん》の丹波篠山《たんばささやま》、岐阜県《ぎふけん》郡上《ぐじょう》が3大産地《だいさんち》として有名《ゆうめい》です。「ぼたん鍋《なべ》」が定番《ていばん》ですが、クセが少《すく》ないので焼《や》いたり、カレーに入《い》れたり、各《かく》地《ち》でいろいろな料理《りょうり》で楽《たの》しまれています。

料理例《りょうりれい》

ぼたん鍋《なべ》

あっさりしていて
うまみもある！

クマの手《て》のひらは超《ちょう》高《こう》級《きゅう》食《しょく》材《ざい》

レア度《ど》 ★★

DATA データ

分類《ぶんるい》	食用《しょくよう》にする国《くに》・地域《ちいき》	代表的《だいひょうてき》な料理《りょうり》	味《あじ》のとくちょう
ほ乳類《にゅうるい》	日本《にほん》、中国《ちゅうごく》、北極《ほっきょく》	鍋《なべ》	脂身《あぶらみ》がさらりと甘《あま》く、ほんのりと野性《やせい》みがある

世界《せかい》には8種類《しゅるい》のクマがいて、そのうち日本《にほん》に生息《せいそく》しているのは2種《しゅ》。北海道《ほっかいどう》のヒグマと、本州《ほんしゅう》と四国《しこく》のツキノワグマです。

足《あし》が速《はや》くて力《ちから》があり、運動神経抜群《うんどうしんけいばつぐん》。驚《おどろ》いて人《ひと》を襲《おそ》うこともあるので、山《やま》では極力出合《きょくりょくであ》いたくない生《い》き物《もの》です。

でも、マタギと呼《よ》ばれる狩猟《しゅりょう》で生活《せいかつ》をしてきた東北地方《とうほくちほう》の人《ひと》たちにとっては、貴重《きちょう》な獲物《えもの》。毛皮《けがわ》や内臓《ないぞう》がお金《かね》になるので、危険《きけん》をおかしてもとる価値《かち》があったのです。肉《にく》ももちろん、大事《だいじ》な食料《しょくりょう》とされてきました。

東北《とうほく》に限《かぎ》らず、日本《にほん》では昔《むかし》からクマ肉《にく》が食《た》べられ、各地《かくち》に料理法《りょうりほう》が伝《つた》わっています。ジビエの伝統的《でんとうてき》な素材《そざい》であり、**ジビエを出《だ》す多《おお》くの店《みせ》で扱《あつか》われている人気《にんき》の食材《しょくざい》**のひとつです。

1頭《とう》で4つしかとれない貴重《きちょう》な素材《そざい》のお値段《ねだん》は

クマ肉《にく》の特徴《とくちょう》は、脂身《あぶらみ》のおいしさ。低《ひく》い温度《おんど》でも溶《と》け、口《くち》に入《い》れるとさらりと甘《あま》みが広《ひろ》がります。

変《か》わった料理《りょうり》で有名《ゆうめい》なのは「クマの手《て》」を煮《に》こんだ中国料理《ちゅうごくりょうり》。**1頭《とう》につき4つしかとれないので、1つあたり数万円《すうまんえん》**します。さらに、食《た》べるための処理《しょり》にも相当《そうとう》な手間《てま》と時間《じかん》がかかるので、お店《みせ》で食《た》べると10万円《まんえん》は下《くだ》らないことも！

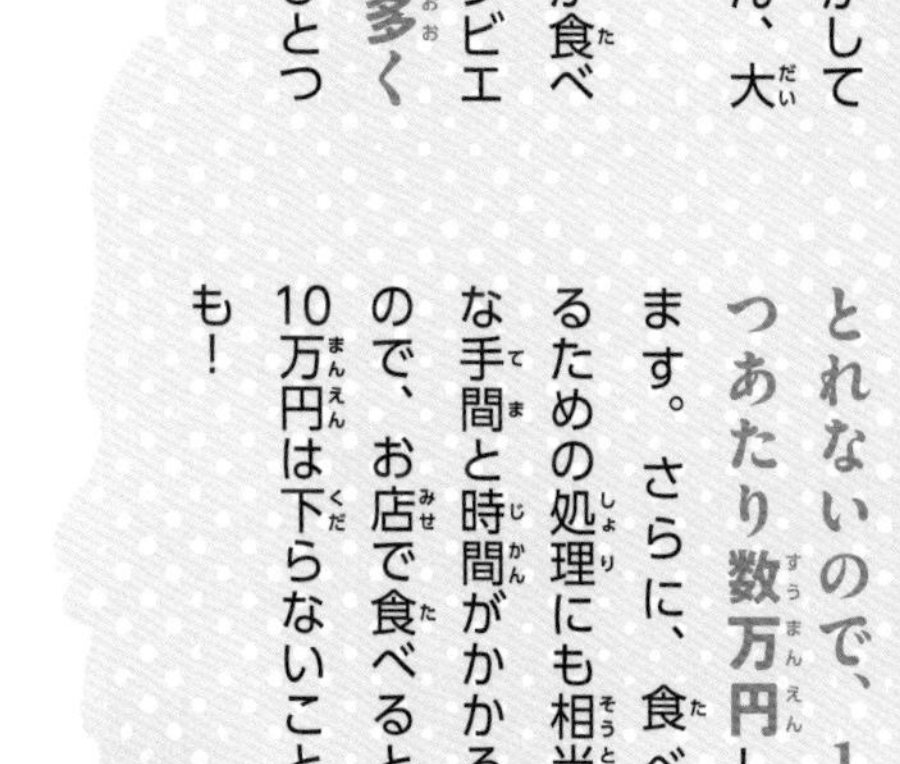
料理例《りょうりれい》
クマの手《て》の煮《に》こみ
時間《じかん》も手間《てま》もお金《かね》もかかる超高級《ちょうこうきゅう》な一品《いっぴん》！

レア度《ど》 ★

ウマの肉《にく》が「桜肉《さくらにく》」と呼《よ》ばれる理由《りゆう》は諸説《しょせつ》ある

DATA データ

分類《ぶんるい》	食用《しょくよう》にする国《くに》・地域《ちいき》	代表的《だいひょうてき》な料理《りょうり》	味《あじ》のとくちょう
ほ乳類《にゅうるい》	ヨーロッパ、メキシコ、日本《にほん》など	馬刺《ばさ》し、タタキ、鍋《なべ》	あっさりしてるが、かみしめるとうまみが出《で》る

ウマは畑《はたけ》を耕《たがや》したり人《ひと》や荷物《にもつ》を運《はこ》んだり、古《ふる》い時代《じだい》から人間《にんげん》の暮《く》らしを助《たす》けてくれた生《い》き物《もの》ですが、日本《にほん》では食肉《しょくにく》としても比較的《ひかくてき》メジャーです。有名《ゆうめい》な産地《さんち》は、熊本県《くまもとけん》、福島県《ふくしまけん》、青森《あおもり》県《けん》、長野県《ながのけん》など。

馬肉《ばにく》は別名《べつめい》「桜肉《さくらにく》」と呼《よ》ばれますが、その由《ゆ》来《らい》にはいろいろな説《せつ》があります。「**肉《にく》の色《いろ》が桜《さくら》に見《み》えるから**」「**桜《さくら》の季節《きせつ》が食《た》べごろだから**」「**イノシシ＝牡丹《ぼたん》、シカ＝紅葉《もみじ》のように、肉《にく》が禁止《きんし》された時代《じだい》に暗号的《あんごうてき》に使《つか》われた**」。他《ほか》にもたくさんあり、はっきりとわかってはいません。

馬肉《ばにく》が「生《なま》」で食《た》べられている理由《りゆう》

日本《にほん》でも海外《かいがい》でも、馬肉《ばにく》は生《なま》で食《た》べられているのが特徴《とくちょう》。肉《にく》の生食《せいしょく》は基本的《きほんてき》に危険《きけん》なのですが、**ウマは体温《たいおん》が高《たか》く寄生虫《きせいちゅう》がつきにくいと言《い》われています**。さらに、**冷凍《れいとう》することで安全性《あんぜんせい》を高《たか》めているため、刺《さ》し身《み》でも食《た》べられる**のです。

また、内臓《ないぞう》も食《た》べられます。ウマのモツ（腸《ちょう》）を煮《に》こんだ「おたぐり」という料理《りょうり》が、長野県《ながのけん》の飯田市《いいだし》や伊那市《いなし》の郷土食《きょうどしょく》。下《した》ごしらえで腸《ちょう》をたぐりよせながら洗《あら》うことから、ついた名前《なまえ》です。ウマをはじめとする草食動物《そうしょくどうぶつ》は腸《ちょう》が長《なが》く、その長《なが》さ、なんと20～30メートル！（人間《にんげん》の腸《ちょう》は7～9メートル）。

料理《りょう》理《り》例《れい》

馬刺《ばさ》し

ウマ特有《とくゆう》のうまみと野性《やせい》みが味《あじ》わえる！

沖縄《おきなわ》では昔《むかし》から ヤギが食《た》べられている

DATA データ

分類《ぶんるい》	食用《しょくよう》にする国《くに》・地域《ちいき》	代表的《だいひょうてき》な料理《りょうり》	味《あじ》のとくちょう
ほ乳類《にゅうるい》	沖縄県《おきなわけん》、南《みなみ》アジア、アフリカ	ヒージャー汁《じる》（沖縄《おきなわ》）、カレー	味《あじ》よりも香《かお》りがすごい

有名《ゆうめい》な児童文学《じどうぶんがく》『アルプスの少女《しょうじょ》ハイジ』アニメ版《ばん》で、主人公《しゅじんこう》のハイジがパンにのせておいしそうに食《た》べているチーズがあります。あれは、牛《うし》ではなくヤギのチーズです。ハイジの住《す》まいは、19世紀《せいき》のスイスの山《やま》。そこでは、夏《なつ》の間《あいだ》は山《やま》でヤギやヒツジを飼《か》い、毛皮《けがわ》や乳製品《にゅうせいひん》を作《つく》るのです。

ヤギは広《ひろ》い土地《とち》やたくさんのエサを用意《ようい》しなくても飼《か》うことができるので、子《こ》どもやお年寄《としよ》りでも世話《せわ》がしやすい家畜《かちく》として親《した》しまれてきたのです。

沖縄《おきなわ》では一家《いっか》に1匹《ぴき》ヤギを飼《か》っていた!?

日本《にほん》では、沖縄県《おきなわけん》のヤギ料理《りょうり》が有名《ゆうめい》。沖縄《おきなわ》では昔《むかし》は普通《ふつう》のおうちでも、いざという時《とき》の食料《しょくりょう》として1匹《ぴき》は飼《か》っていたそうです。非常時《ひじょうじ》やお祝《いわ》いの時《とき》に料理《りょうり》に使《つか》えるというだけでなく、普段《ふだん》はミルクやフンも活用《かつよう》できるので、とても便利《べんり》。

ヤギ肉《にく》の特徴《とくちょう》は、独特《どくとく》な香《かお》りです。インドやネパールでは、スパイスをたっぷり使《つか》ってくさみをおさえて料理《りょうり》するのが一般的《いっぱんてき》。ところが、沖縄《おきなわ》の名物《めいぶつ》「ヒージャー汁《じる》」（ヤギの汁《しる》料理《りょうり》）はヨモギとショウガをくさみ消《け》しに使《つか》うものの、ヤギならではの香《かお》りがぷんぷん！　好《す》き嫌《きら》いが分《わ》かれますが、それがむしろクセになるという人《ひと》も多《おお》いです。

ヒージャー汁《じる》

料理例《りょうりれい》

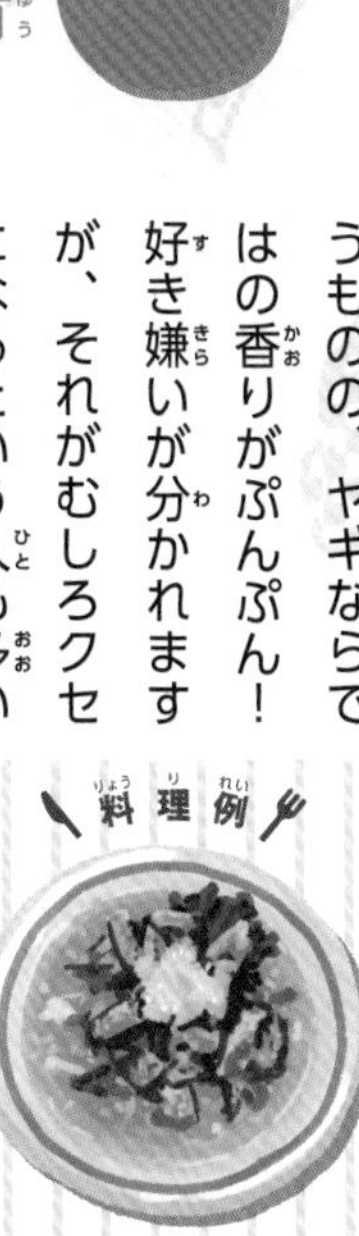

ヤギならではの香《かお》りがぷ～んとただよう

カラスはフランス料《りょう》理《り》に取《と》り入《い》れられている

DATA データ

分類《ぶんるい》	食用《しょくよう》にする国《くに》・地域《ちいき》	代表的《だいひょうてき》な料理《りょうり》	味《あじ》のとくちょう
鳥類《ちょうるい》	日本《にほん》、フランス、中国《ちゅうごく》、韓国《かんこく》	丸焼《まるや》き、ワイン煮《に》、パイ包《づつ》み	火《ひ》を通《とお》しすぎるとまずくなる

カラスは雑食性《ざっしょくせい》で何《なん》でも食《た》べるので、生《なま》ゴミもごちそう。ゴミを散《ち》らかす姿《すがた》から、あまり良《よ》いイメージを持《も》たれません。あのカラスを食《た》べる？ と心配《しんぱい》になるでしょうか。

ですが、昔《むかし》から食《た》べられてきたのは都会《とかい》に住《す》むハシブトガラスではなく、自然《しぜん》の多《おお》い場所《ばしょ》に多《おお》く住《す》む〝ガー、ガー〟と鳴《な》くハシボソガラスのほう。ゴミを漁《あさ》っているカラスをつかまえて食《た》べるわけではないので、そこは心配《しんぱい》しなくても大丈夫《だいじょうぶ》。

味《あじ》は〝レバー〟に似《に》たような感《かん》じです。筋肉質《きんにくしつ》でかたいので食《た》べるところは少《すく》なく、また、**加熱《かねつ》しすぎると鉄《てつ》くささが増《ま》して生《なま》ぐさくなりがち**なのが難《なん》点《てん》。でも、コツをおさえて料理《りょうり》をすれば食《た》べやすい肉《にく》の味《あじ》に仕上《しあ》がります。

カラスを食《た》べる国《くに》といえば……!?

昔《むかし》のフランス料理《りょうり》ではジビエの食材《しょくざい》として扱《あつか》われ、小説《しょうせつ》『レ・ミゼラブル』を書《か》いたことでも知《し》られる**有名《ゆうめい》な政治家《せいじか》、ヴィクトル・ユゴーも食《た》べた**そうです。

アジアでは中国《ちゅうごく》や韓国《かんこく》の一部地域《いちぶちいき》でも食《た》べられ、中国《ちゅうごく》では漢方薬《かんぽうやく》の材料《ざいりょう》になることも。日《に》本《ほん》では農作物《のうさくもつ》を荒《あ》らす害獣《がいじゅう》として駆除《くじょ》されたものが出回《でまわ》り、珍《めずら》しい料理《りょうり》を出《だ》すレストランなどで食《た》べることができます。

料理《りょうり》例《れい》

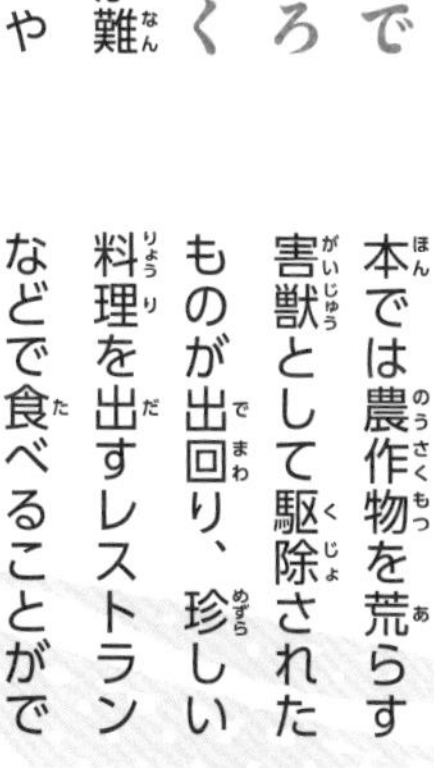

カラス肉《にく》のポワレ

ちょっとかたいけど鶏肉《とりにく》のようなうまみ！

江戸時代《えどじだい》の料理本《りょうりぼん》には、ハトの料理法《りょうりほう》がのっている

DATA データ

分類《ぶんるい》	食用《しょくよう》にする国《くに》・地域《ちいき》	代表的《だいひょうてき》な料理《りょうり》	味《あじ》のとくちょう
鳥類《ちょうるい》	中国《ちゅうごく》、フランス、エジプト、日本《にほん》	ロースト、香草《こうそう》焼《や》き、パイ包《づつ》み	独特《どくとく》の野性《やせい》みはあるが、比較的《ひかくてき》食《た》べやすい

今《いま》の日本《にほん》ではハトを食《た》べるような機会《きかい》はほとんどありませんが、昔《むかし》はわりと食《た》べられていました。

江戸時代《えどじだい》の『料理物語《りょうりものがたり》』という本《ほん》には、ハトの料理法《りょうりほう》として「ゆで鳥《どり》」や「丸《まる》やき」の他《ほか》に、「鳩酒《はとざけ》」という料理《りょうり》のレシピものっています。

鳩酒《はとざけ》とはどんなものかというと、ハトをよくたたいてお酒《さけ》で溶《と》き、きつね色《いろ》に炒《い》ったみそを加《くわ》え、サンショウかコショウかワサビを少《すこ》し入《い》れるのだそうです。

また、海外《かいがい》でもハトは一般的《いっぱんてき》な食《た》べ物《もの》です。中国《ちゅうごく》では食材《しょくざい》として普通《ふつう》に売《う》られており、フランスでは高級食材《こうきゅうしょくざい》のひとつ。**エジプトには「ハマムマッハシ」という、ハトのお腹《なか》にお米《こめ》と香辛料《こうしんりょう》を詰《つ》めて丸焼《まるや》きにする名物料理《めいぶつりょうり》**もあります。

日本《にほん》でとって食《た》べてもいいのはキジバトだけ

なお、日本《にほん》でもジビエ料理店《りょうりてん》などでハトを食《た》べられます。独特《どくとく》の野性《やせい》みはありますが、食《た》べやすい味《あじ》です。**ただし食《た》べられるのは、基本的《きほんてき》にキジバトという種類《しゅるい》**のみ。公園《こうえん》などでよく見《み》かけるドバトは食《た》べられません。

というのも、狩《か》りでとってもよいハトはキジバトだけで、ドバトはとってはいけないのです。どうりで公園《こうえん》のハトは、人《ひと》を警戒《けいかい》せずのんきにエサをつついているわけですね。

スパイスがきいたハト肉《にく》を味《あじ》わえるエジプトの名物《めいぶつ》！

伏《ふし》見《み》稲荷《いなり》大《たい》社《しゃ》では名《めい》物《ぶつ》「スズメの串《くし》焼《や》き」が食《た》べられる

DATA データ

分類《ぶんるい》	食用《しょくよう》にする国《くに》・地域《ちいき》	代表的《だいひょうてき》な料理《りょうり》	味《あじ》のとくちょう
鳥類《ちょうるい》	中国《ちゅうごく》、ベトナム、日本《にほん》	丸焼《まるや》き	骨《ほね》を食《た》べている印象《いんしょう》が強《つよ》い

スズメは害虫《がいちゅう》も食《た》べてくれますが、秋《あき》には稲《いな》穂《ほ》を食《く》い荒《あ》らす迷惑《めいわく》な鳥《とり》でもあります。田《た》んぼを守《まも》るために、昔《むかし》の農村《のうそん》では「鳥追《とりお》い」という野鳥《やちょう》を追《お》い払《はら》う行事《ぎょうじ》を行《おこな》い、スズメなどをつかまえて食《た》べていました。

体重《たいじゅう》20グラム前後《ぜんご》しかない小《ちい》さな鳥《とり》なので、羽《はね》と内臓《ないぞう》だけとって丸焼《まるや》きにするのが基本《きほん》。**頭《あたま》から骨《ほね》ごとバリバリ食《た》べると、口《くち》の中《なか》にレバーのような脳《のう》みその味《あじ》**が広《ひろ》がります。その濃厚《のうこう》さが好《す》きという人《ひと》もいますが、見《み》た目《め》のインパクトもあり、好《す》き嫌《きら》いは分《わ》かれるでしょう。

スズメの数《かず》はどんどん減《へ》っている

かつてスズメ焼《や》きを出《だ》すお店《みせ》は全国《ぜんこく》にありましたが、今《いま》ではほとんど見《み》られません。**京《きょう》都《と》の伏見稲荷大社《ふしみいなりたいしゃ》では「スズメの串焼《くしや》き」が名物《めいぶつ》**になっていて、以前《いぜん》は6、7店《てん》で売《う》られていましたが、今《いま》は2店舗《てんぽ》を残《のこ》すのみ（2020年《ねん》2月現在《がつげんざい》）。鶏肉《とりにく》が普及《ふきゅう》してあまり食《た》べられなくなったのと、中国産《ちゅうごくさん》の安《やす》いスズメの輸出《ゆしゅつ》が禁止《きんし》され、日本《にほん》に入《はい》らなくなったのが大《おお》きな理由《りゆう》です。

日本《にほん》のスズメは数《かず》が大幅《おおはば》に減《へ》っており、スズメ猟《りょう》を行《おこな》う猟師《りょうし》の数《かず》も足《た》りません。残念《ざんねん》ですが、このままだと日《に》本《ほん》でスズメを食《た》べられなくなる日《ひ》は近《ちか》そうです。

料《りょう》理《り》例《れい》

スズメの串焼《くしや》き

骨《ほね》ごとバリバリ食《た》べるが味《あじ》はいい！

「フルーツバット」というコウモリは多《おお》くの国《くに》で食《た》べられている

レア度《ど》 ★★★★

DATA データ

分類《ぶんるい》	食用《しょくよう》にする国《くに》・地域《ちいき》	代表的《だいひょうてき》な料理《りょうり》	味《あじ》のとくちょう
ほ乳類《にゅうるい》	アジア、オセアニア、アフリカ	スープ、カレー	目《め》をつぶったら鶏肉《とりにく》

夕焼《ゆうや》けにヒラヒラと飛《と》びかう、鳥《とり》とはちがったシルエット。コウモリは日本《にほん》でもよく見《み》かけますが、食《た》べ物《もの》のイメージはありませんよね。

でも、海外《かいがい》では割《わり》とポピュラーな食材《しょくざい》です。**インドネシアにはコウモリを使《つか》った家《か》庭料理《ていりょうり》がありますし、パラオではコウモリスープが名物《めいぶつ》**です。

サイズ的《てき》に食《た》べるところが全《まった》くなさそうな気《き》がしますが、海外《かいがい》でよく食《た》べられているのは「オオコウモリ」。名前《なまえ》の通《とお》り、大型《おおがた》なので肉《にく》の多《おお》い種類《しゅるい》で、別名《べつめい》「フルーツバット」とも呼《よ》ばれています。

フルーツで育《そだ》ったコウモリはおいしい！

なぜ「フルーツバット」かと言《い》えば、昆虫《こんちゅう》を食《た》べる他《ほか》のコウモリとちがい、草食《そうしょく》のオオコウモリは主《おも》にフルーツを食《た》べるからです。

エサにこだわって育《そだ》てられるブランド牛《ぎゅう》なども同《おな》じですが、動物《どうぶつ》の肉《にく》の味《あじ》は、普段《ふだん》食《た》べているものによって変《か》わります。そのため、**フルーツだけで育《そだ》ったフルーツバットは風味《ふうみ》も良《よ》く、やや淡白《たんぱく》ですが鶏肉《とりにく》に似《に》た味《あじ》**なのです。

丸《まる》ごと姿煮《すがたに》のスープで出《だ》されることが多《おお》いので、食《た》べる前《まえ》にコウモリの顔《かお》と目《め》が合《あ》ってギョッとしてしまいますが、いざ口《くち》にしてしまえば、おいしく食《た》べられるでしょう。

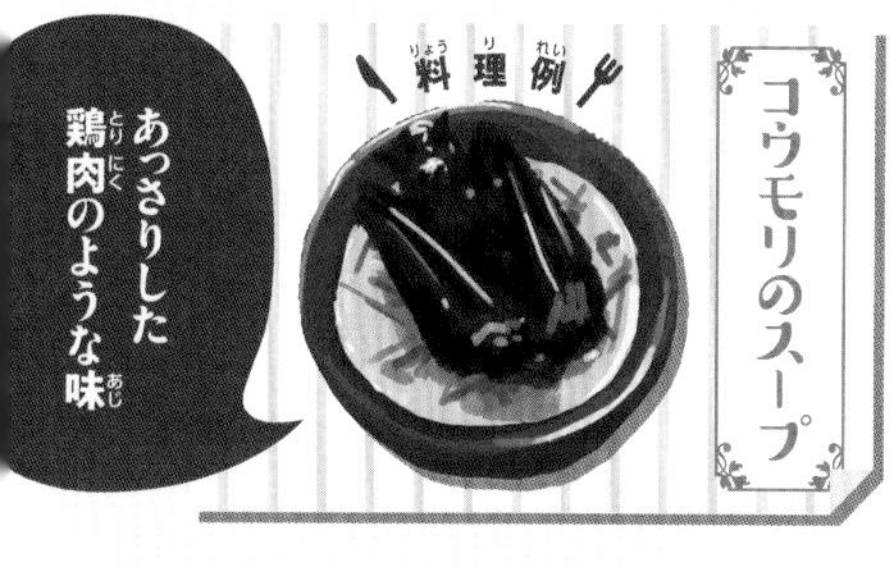
料理例《りょうりれい》
コウモリのスープ
あっさりした鶏肉《とりにく》のような味《あじ》

クジャクを食《た》べるには羽《はね》をむしるのがとても大《たい》変《へん》

DATA データ

分類《ぶんるい》	食用《しょくよう》にする国《くに》・地域《ちいき》	代表的《だいひょうてき》な料理《りょうり》	味《あじ》のとくちょう
鳥類《ちょうるい》	中国《ちゅうごく》、日本《にほん》	ロースト、スープ	がんばって処理《しょり》できれば味《あじ》は良《よ》い

クジャクと言《い》えば、オスが色鮮《いろあざ》やかな飾《かざ》り羽《ばね》を広《ひろ》げて、メスにアピールする姿《すがた》を思《おも》い浮《う》かべるでしょう。この飾《かざ》り羽《ばね》は長《なが》いもので1メートルを超《こ》えるので、むしろうとするとなかなか大《たい》変《へん》です。でも実《じつ》は、オスに飾《かざ》り羽《ばね》があるのは春《はる》から夏《なつ》にかけて。秋《あき》から冬《ふゆ》にまた生《は》え変《か》わるので、その間《あいだ》なら羽《はね》をむしるのは楽《らく》そうです。

クジャクはあまり食用《しょくよう》にされず、まずいと言《い》われることがありますが、**世界中《せかいじゅう》で食《た》べられているキジの仲間《なかま》**ですし、そんなことはありません。きちんと処理《しょり》されていれば大変《たいへん》おいしく、サイズも大《おお》きめなので食《た》べがいがあります。

ただ、野生《やせい》のものは皮《かわ》にくさみが出《で》ることがあるので、羽《はね》をむしるときに皮《かわ》ごとむいた方《ほう》がおいしく食《た》べられます。**スープにすると、**とってもおいしいダシも出《で》ます。

沖縄《おきなわ》で増《ふ》えすぎてご当地《とうち》グルメも登場《とうじょう》

ちなみに、沖縄県《おきなわけん》の宮古島《みやこじま》や八重山列島《やえやまれっとう》では、観賞用《かんしょうよう》に持《も》ちこまれたクジャクが逃《に》げ出《だ》して大《だい》繁殖《はんしょく》してしまい、農作物《のうさくもつ》が荒《あ》らされる被害《ひがい》を受《う》けています。

そこで地元《じもと》では、駆《く》除《じょ》するとともに、クジャク肉《にく》を使《つか》ったカレーなど、新《あら》たなご当地《とうち》グルメとして提供《ていきょう》されています。沖縄《おきなわ》といえばクジャク料理《りょうり》となる日《ひ》がいずれ来《く》るかも?

料理例《りょうりれい》

クジャクのロースト

ちょっとくさみのある鶏肉《とりにく》のよう

ウシガエルは大正時代《たいしょうじだい》、食用《しょくよう》として日本《にほん》に輸入《ゆにゅう》された

DATA データ

分類《ぶんるい》	食用《しょくよう》にする国《くに》・地域《ちいき》	代表的《だいひょうてき》な料理《りょうり》	味《あじ》のとくちょう
両生類《りょうせいるい》	フランス、東南《とうなん》アジア、中国《ちゅうごく》、日本《にほん》	ソテー、から揚《あ》げ、スープ	目《め》をつぶったら鶏肉《とりにく》

テレビなどでゲテモノ扱《あつか》いされがちなカエルですが、日本《にほん》でも食用《しょくよう》にされていた時代《じだい》があります。日本《にほん》で初《はじ》めてカレーのレシピがのった、明治時代《めいじじだい》の料理本《りょうりぼん》『西洋料理指南《せいようりょうりしなん》』には、具材《ぐざい》として鶏肉《とりにく》やエビ、タイ、カキの他《ほか》に、アカガエルを入《い》れるよう書《か》かれています。

また、**大正時代《たいしょうじだい》にはウシガエルが食用《しょくよう》としてアメリカから輸入《ゆにゅう》され**、各地《かくち》で養殖《ようしょく》が行《おこな》われていました。結局《けっきょく》、日本《にほん》ではカエル肉《にく》はあまり広《ひろ》まりませんでしたが、今《いま》でもウシガエルのことを「食用《しょくよう》ガエル」と呼《よ》ぶのは、このためです。

フランスではカエル料理《りょうり》は有名《ゆうめい》

海外《かいがい》では、フランス人《じん》のカエル好《ず》きが特《とく》に有名《ゆうめい》。フランスでは年間《ねんかん》8千万匹《せんまんびき》も消費《しょうひ》されているそうです。特《とく》に、冷凍《れいとう》ではない新鮮《しんせん》なカエル肉《にく》は高級食材《こうきゅうしょくざい》として扱《あつか》われています。

カエル肉《にく》は鶏肉《とりにく》とそっくりな味《あじ》ですが、脂身《あぶらみ》がないぶん、鶏肉《とりにく》と比《くら》べてジューシーさが少《すこ》し足《た》りません。そのためか、フランス料理《りょうり》ではたっぷりのバターとニンニクとパセリで、揚《あ》げるようにいためるのが定番《ていばん》です。

フランス以外《いがい》でも、東南《とうなん》アジアや中国《ちゅうごく》などで広《ひろ》く食《た》べられています。日本《にほん》でもカエル料理《りょうり》が食《た》べられるお店《みせ》は、探《さが》すと結構見《けっこうみ》つかります。

料理例《りょうりれい》

カエルのから揚《あ》げ

鶏《とり》のササミのようなあっさり味《あじ》！

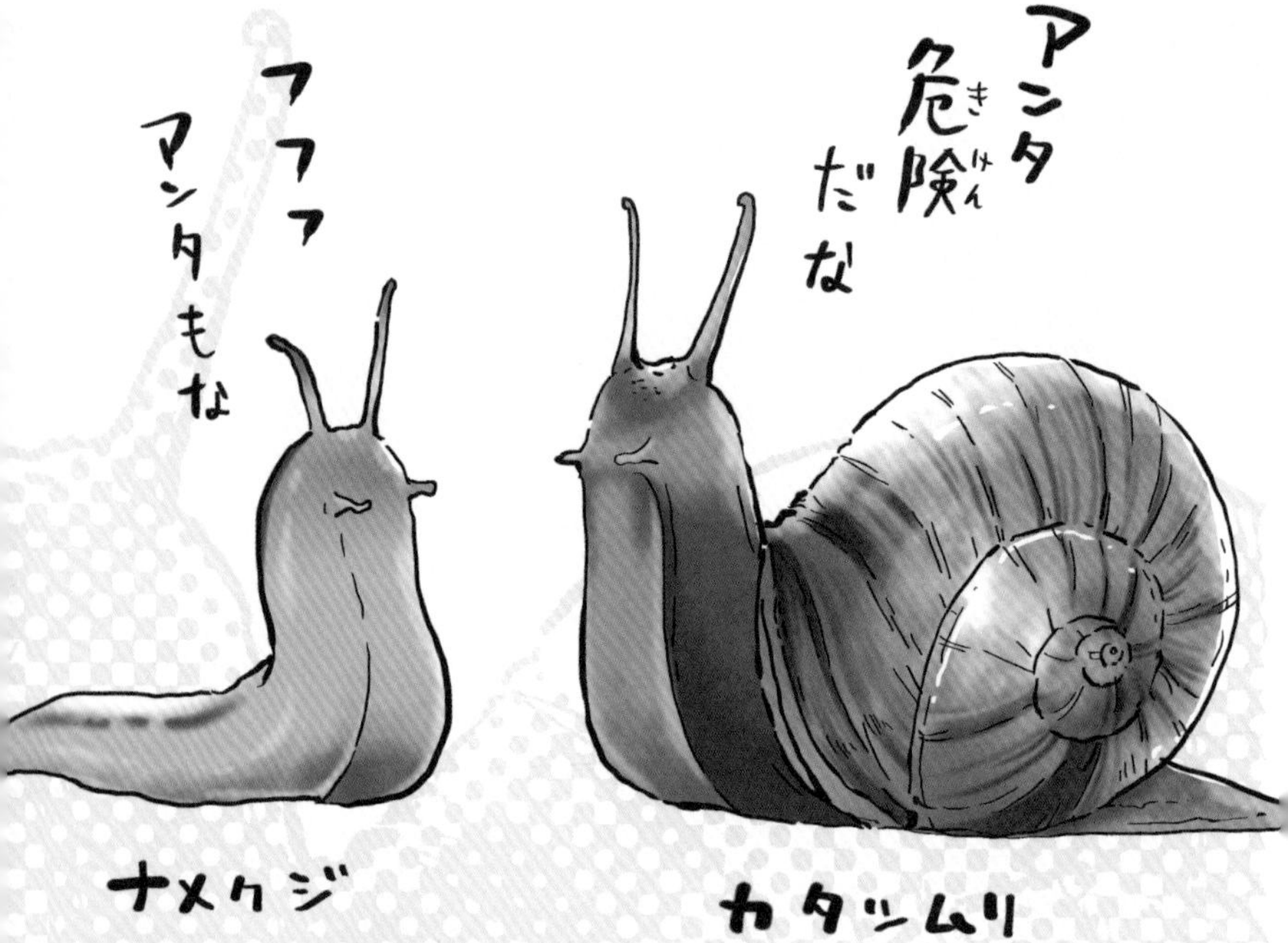
アンタ危険《きけん》だな
フフフ マンタもな
ナメクジ
カタツムリ

カタツムリは食《た》べられる種《しゅ》もいるが、キケンな生《い》き物《もの》

レア度《ど》 ★★

DATA データ

分類《ぶんるい》	食用《しょくよう》にする国《くに》・地域《ちいき》	代表的《だいひょうてき》な料理《りょうり》	味《あじ》のとくちょう
軟体動物《なんたいどうぶつ》	フランス、イタリア	バター焼《や》き	味《あじ》のない貝《かい》のよう

雨《あめ》の季節《きせつ》の生《い》き物《もの》、カタツムリ。公園《こうえん》や森《もり》など緑《みどり》の多《おお》い場所《ばしょ》によく住《す》んでいますが、実《じつ》は、「陸《りく》にあがった巻貝《まきがい》」なんです（ちなみにナメクジは、カタツムリが進化《しんか》してカラがなくなったもの）。

フランスではカタツムリを「エスカルゴ」と言《い》い、食《た》べるために衛生的《えいせいてき》に飼育《しいく》されています。料理《りょうり》されたエスカルゴを食《た》べると**コリコリした歯《は》ごたえを楽《たの》しめ、「なるほど、貝《かい》だ！」**と思《おも》うでしょう。

食用《しょくよう》は寄生虫《きせいちゅう》がつかないように育《そだ》てている

同《おな》じ仲間《なかま》ではありますが**公園《こうえん》や道端《みちばた》にいるカタツムリやナメクジは、絶対《ぜったい》に食《た》べないようにしてください。**危険《きけん》な寄生虫《きせいちゅう》がいるので、食《た》べると病気《びょうき》になります。しつこいようですが、食用《しょくよう》のエスカルゴは徹底的《てっていてき》に清《せい》潔《けつ》な環境《かんきょう》にした、専門的《せんもんてき》な場所《ばしょ》で育《そだ》てられているからこそ、安全《あんぜん》に食《た》べられるのです。

世界的《せかいてき》に広《ひろ》く知《し》られているエスカルゴ料理《りょうり》は、フランス・ブルゴーニュ地方《ちほう》の郷土料理《きょうどりょうり》。**バターとニンニクで熱《ねっ》したものが、週《しゅう》末《まつ》に家族《かぞく》で食《た》べる食事《しょくじ》の定番《ていばん》メニュー**です。

日本《にほん》でもフランス料《りょう》理店《りてん》で食《た》べられるだけでなく、冷凍品《れいとうひん》などが輸入《ゆにゅう》・販売《はんばい》されていますので、購入《こうにゅう》すれば、おうちでも気軽《きがる》に料理《りょうり》して食《た》べられます。

濃厚《のうこう》な味《あじ》つけがうすあじのエスカルゴに合《あ》う！

徳川将軍家《とくがわしょうぐんけ》は正月料理《しょうがつりょうり》でウサギを食《た》べていた

レア度《ど》 ★★

DATA データ

分類《ぶんるい》	食用《しょくよう》にする国《くに》・地域《ちいき》	代表的《だいひょうてき》な料理《りょうり》	味《あじ》のとくちょう
ほ乳類《にゅうるい》	ヨーロッパ、中国《ちゅうごく》、日本《にほん》	ソテー、テリーヌ、ロースト、パイ	鶏肉《とりにく》に近《ちか》くて食《た》べやすい

今《いま》でこそあまりなじみのないウサギ肉《にく》ですが、昔《むかし》の日本《にほん》では普通《ふつう》に食《た》べられていました。ウサギは1羽《わ》2羽《わ》と数《かぞ》えますが、これは、獣肉《けものにく》を食《た》べることが禁止《きんし》されていた時代《じだい》に、ウサギだけは「鳥《とり》の一種《いっしゅ》」とこじつけて食《た》べられていたなごり、とする説《せつ》があります。

また、徳川家《とくがわけ》の祖先《そせん》がウサギのお吸《す》い物《もの》でもてなされてから運気《うんき》が上《あ》がったので、**徳川将《とくがわしょう》軍家《ぐんけ》では正月《しょうがつ》にウサギのお吸《す》い物《もの》を食《た》べるようになった**、という記録《きろく》も残《のこ》っています。

現在《げんざい》はヨーロッパでよく食《た》べられている

現在《げんざい》では、主《おも》にヨーロッパでよく食《た》べられています。フランスでは家畜《かちく》ウサギを「ラパン」、野《の》うさぎを「リエーヴル」と呼《よ》び、使《つか》い分《わ》けて料理《りょうり》するこだわりよう。イギリスの絵本《えほん》『ピーターラビット』でも、お父《とう》さんウサギが人間《にんげん》につかまってパイにされた、なんて衝撃《しょうげき》の過去《かこ》が語《かた》られますが、それだけ普通《ふつう》に食《た》べられているということでしょう。

味《あじ》は鶏肉《とりにく》に近《ちか》く、モチモチした食感《しょっかん》。粘《ねば》り気《け》が強《つよ》いので、ソーセージやハムのつなぎに使《つか》われるほか、テリーヌやパテなどの料理《りょうり》にも向《む》いています。**どんな料理《りょうり》にも合《あ》うおいしい肉《にく》ですが、小《こ》骨《ぼね》が多《おお》くてちょっと食《た》べづらい**のが難《なん》点《てん》です。

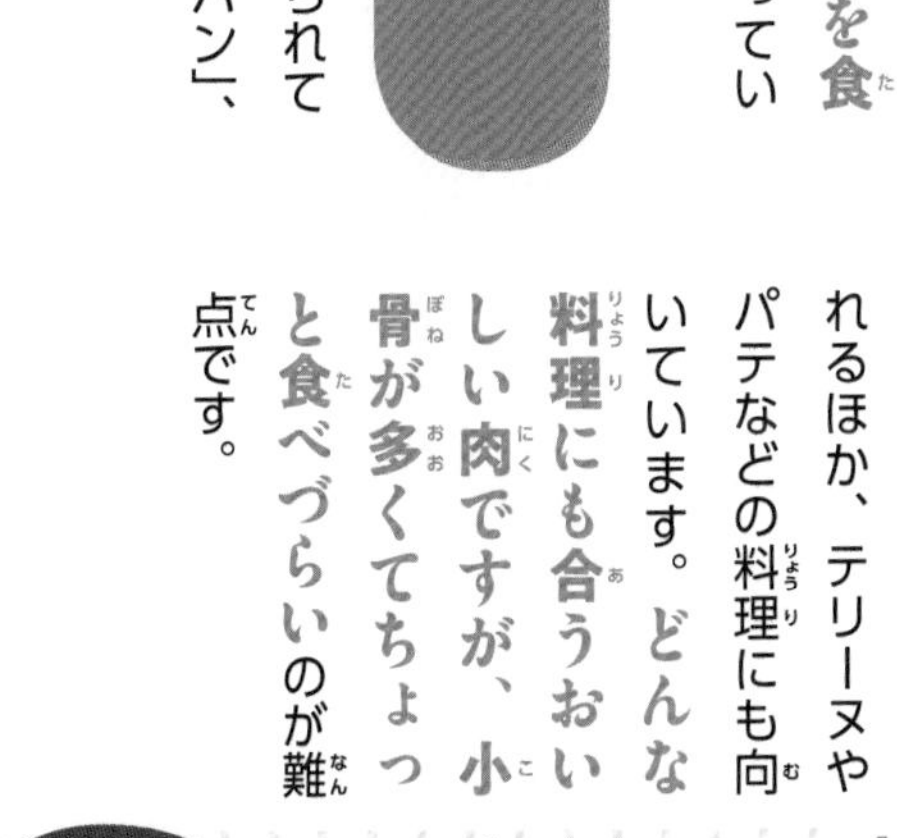

イギリスではリスのパイが食《た》べられている

DATA データ

分類《ぶんるい》	食用《しょくよう》にする国《くに》・地域《ちいき》	代表的《だいひょうてき》な料理《りょうり》	味《あじ》のとくちょう
ほ乳類《にゅうるい》	イギリス	パイ、煮《に》こみ	ラム肉《にく》（子羊《こひつじ》）に似《に》ている

人間《にんげん》が食《た》べすぎて、数《かず》が少《すく》なくなってしまう生《い》き物《もの》がいる一方《いっぽう》で、増《ふ》えすぎて困《こま》るために食《た》べられる生《い》き物《もの》もたくさんいます。イギリスのハイイロリスも、そのひとつ。150年《ねん》ほど前《まえ》にイギリスに入《はい》ってきて、もともといたキタリスが追《お》いやられて少《すく》なくなってしまいました。

そこで、ハイイロリスを〝狩猟《しゅりょう》してもいい生《い》き物《もの》〟と決《き》め、ジビエ料理《りょうり》として食《た》べるようになったのです。**リスはブタやウシの肉《にく》など比《くら》べると、脂肪分《しぼうぶん》が少《すく》なくてヘルシー**。とても人気《にんき》がある肉《にく》となり、煮《に》こみやパイにして食《た》べるそうです。

アイヌの人《ひと》たちが食《た》べていたエゾリス

日本《にほん》では、北海道《ほっかいどう》に住《す》む先住民族《せんじゅうみんぞく》の**アイヌの人《ひと》たちにエゾリスを食《た》べる文化《ぶんか》**がありました。『ゴールデンカムイ』（集英社《しゅうえいしゃ》）という人気漫画《にんきまんが》にたくさんのアイヌグルメが出《で》てくるので、最近《さいきん》ではそれを読《よ》んでリスが食《た》べられると知《し》った人《ひと》も多《おお》いのでは。

ただし、現在《げんざい》はエゾリスをつかまえてはいけません。法律《ほうりつ》で禁止《きんし》されています。日本《にほん》で狩《か》りの対象《たいしょう》として認《みと》められているのは、タイワンリスとシマリスの2種《しゅ》（一部地域《いちぶちいき》をのぞく）。外来種《がいらいしゅ》であるタイワンリスは数《かず》が増《ふ》えて問題《もんだい》になっていますが、こちらを食用《しょくよう》にするという動《うご》きはまだないようです。

リスのミートパイ

料理例《りょうりれい》

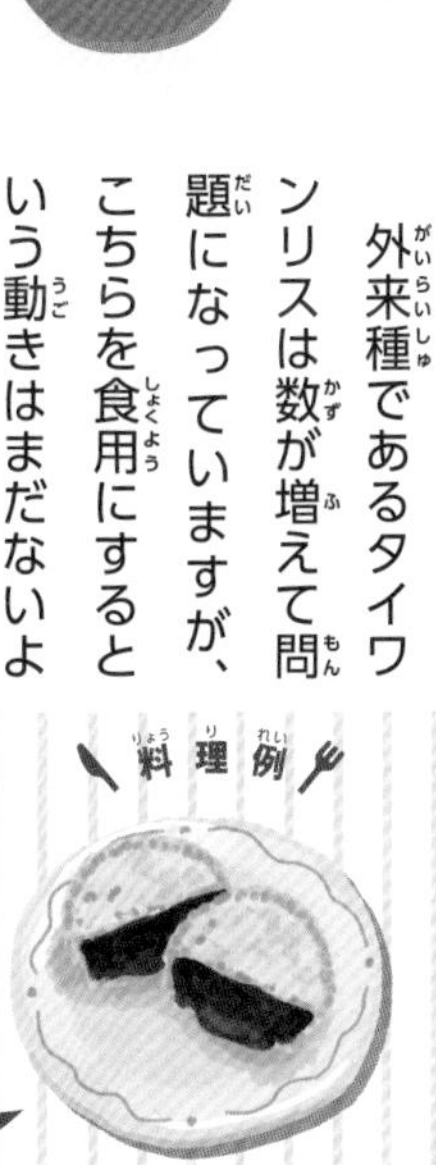

ラム肉《にく》のような
ヘルシーさで
パイにぴったり！

タヌキの肉《にく》はとにかくクサイ

DATA データ

分類《ぶんるい》	食用《しょくよう》にする国《くに》・地域《ちいき》	代表的《だいひょうてき》な料理《りょうり》	味《あじ》のとくちょう
ほ乳類《にゅうるい》	日本《にほん》、中国《ちゅうごく》	みそ汁《しる》	くさくてかたいので料理《りょうり》のウデ次第《しだい》

タヌキはもともと極東《きょくとう》アジアにしかいなかった、世界的《せかいてき》には珍《めずら》しい動物《どうぶつ》です。ですが、日本《にほん》では、『ぶんぶくちゃがま』をはじめ、物語《ものがたり》や歌《うた》によく登場《とうじょう》する、とても身近《みぢか》な生《い》き物《もの》です。また『かちかち山《やま》』のお話《はなし》にはタヌキ汁《じる》という料理名《りょうりめい》が登場《とうじょう》するように、古《ふる》くから食《た》べられていた食材《しょくざい》でもあります。

昔《むかし》のお坊《ぼう》さんは肉食《にくしょく》を禁止《きんし》されていたので、コンニャクをタヌキ肉《にく》に似《に》せたみそ汁《しる》を作《つく》って食《た》べていました。**今《いま》ではタヌキ汁《じる》と言《い》えば、このコンニャク入《い》りみそ汁《しる》を指《さ》すことが多《おお》い**です。

タヌキ汁《じる》はタヌキじゃなかった⁉

お坊《ぼう》さんも食《た》べたがった料理《りょうり》と聞《き》くと、よほどおいしい肉《にく》なのかと思《おも》ってしまいますが、実《じつ》は**タヌキの肉《にく》はくさみがたいへん強《つよ》く、かみ切《き》れないほどかたく、あまりおいしくありません。**食《た》べ方《かた》も、酒《さけ》やネギ、ニンニク、ショウガなどで煮《に》こんでとにかくにおいを消《け》し、みそ汁《しる》にするのが一般的《いっぱんてき》です。

ではなぜ、くさい肉《にく》をお坊《ぼう》さんは食《た》べたがったのでしょう？　昔《むかし》はタヌキやアナグマをまとめて「ムジナ」や「マミ」と呼《よ》んでいました。タヌキとちがってアナグマの肉《にく》はおいしいので、昔《むかし》のタヌキ汁《じる》の正体《しょうたい》はアナグマ汁《じる》だったのでは？　という説《せつ》があります。

料理例《りょうりれい》

タヌキ鍋《なべ》

全力《ぜんりょく》でくさみを消《け》さないと少《すこ》しもおいしくない！

アナグマは タヌキに似《に》ているが 味《あじ》は全然《ぜんぜん》ちがう

DATA データ

分類《ぶんるい》	食用《しょくよう》にする国《くに》・地域《ちいき》	代表的《だいひょうてき》な料理《りょうり》	味《あじ》のとくちょう
ほ乳類《にゅうるい》	日本《にほん》、フランス	シチュー、すき焼《や》き、みそ汁《しる》	クセがなく濃厚《のうこう》

昼間《ひるま》でもノソノソ歩《ある》いていることがあるうえ、目《め》が悪《わる》くて警戒心《けいかいしん》も薄《うす》いので、山《やま》の中《なか》では目《め》の前《まえ》でバッタリ出合《であ》うこともある、のほほーんとした生《い》き物《もの》。それがアナグマです。

顔《かお》の模様《もよう》や体型《たいけい》は少《すこ》しちがいますが、パッと見《み》た目《め》はタヌキそっくり。1つの巣穴《すあな》をアナグマとタヌキが共同《きょうどう》で使《つか》うこともあるので、昔《むかし》はタヌキもアナグマも同《おな》じ生《い》き物《もの》と思《おも》われており、まとめて「ムジナ」や「マミ」と呼《よ》ばれていました。

タヌキとちがってクセが少《すく》なく人気《にんき》のジビエ肉《にく》！

こんなにそっくりなら味《あじ》もタヌキと同《おな》じでは、と思《おも》ってしまいますが、その評価《ひょうか》は真逆《まぎゃく》。くさい、まずいとさんざんな言《い》われようのタヌキに比《くら》べて、アナグマは**ジビエ肉《にく》の中《なか》でも、トップクラスにおいしい**と評判《ひょうばん》です。

実《じつ》は、タヌキとアナグマは姿《すがた》こそ似《に》ていますが、動物《どうぶつ》としての種類《しゅるい》がちがいます。タヌキはイヌ科《か》、アナグマはイタチ科《か》。イタチ科《か》の生《い》き物《もの》の肉《にく》は比較的《ひかくてき》おいしいと言《い》われるのですが、アナグマの場合《ばあい》は特《とく》に甘《あま》みのある脂身《あぶらみ》が多《おお》く、かなり食《た》べやすいのです。

ややかための肉《にく》のため、**やわらかく煮《に》こんだシチュー**か、**脂身《あぶらみ》の甘《あま》さを活《い》かした鍋《なべ》**などの料理《りょうり》で食《た》べられることが多《おお》く、特《とく》にすき焼《や》きは絶品《ぜっぴん》です。

オーストラリアではスーパーでカンガルー肉《にく》が売《う》られている

レア度《ど》 ★★

GOURMET MEAT
KANGAROO
10% OFF
$15
SALE

DATA データ

分類《ぶんるい》	食用《しょくよう》にする国《くに》・地域《ちいき》	代表的《だいひょうてき》な料理《りょうり》	味《あじ》のとくちょう
ほ乳類《にゅうるい》	オーストラリア、ヨーロッパ	ステーキ	焼《や》きすぎるとくさみが出《で》るが、クセが少《すく》なく食《た》べやすい

オーストラリアの生《い》き物《もの》といえば、カンガルー。先住民族《せんじゅうみんぞく》であるアボリジニは自然《しぜん》のものを食《た》べることで有名《ゆうめい》ですが、カンガルーも例外《れいがい》ではありません。昔《むかし》から、狩《か》りで捕《つか》まえて食《た》べてきました。アボリジニにとっては栄養《えいよう》をとるための、大事《だいじ》な食材《しょくざい》なのです。

現在《げんざい》、オーストラリアでは、アボリジニ以外《いがい》の人《ひと》たちにもカンガルーを食《た》べる文化《ぶんか》が広《ひろ》まっています。というのも、頭数《とうすう》が増《ふ》えすぎて作物《さくもつ》が荒《あ》らされたり、車《くるま》とぶつかる事故《じこ》まで発生《はっせい》し、食《た》べて数《かず》を減《へ》らすことで被害《ひがい》を減《へ》らそうと、国《くに》が取《と》り組《く》んできたのです。

そのため、**スーパーでカンガルー肉《にく》が売《う》られており、見慣《みな》れた食材《しょくざい》**というわけです。空港《くうこう》ではお土産用《みやげよう》のカンガルージャーキーも売《う》られています。

スポーツ選手《せんしゅ》も食《た》べる健康《けんこう》にいい肉《にく》

カンガルー肉《にく》は「ルーミート」とも呼《よ》ばれ、脂肪《しぼう》が少《すく》なく健康的《けんこうてき》。ヨーロッパでもファンが増《ふ》えてきています。**脂肪《しぼう》を燃《も》やし筋力《きんりょく》を高《たか》める栄養素《えいようそ》がたくさん含《ふく》まれている**ので、アスリートにも愛用者《あいようしゃ》はたくさん。

日本《にほん》のスーパーではまだ見《み》かけませんが、ルーミートを扱《あつか》うレストランで食《た》べられ、通販《つうはん》などで買《か》うこともできます。

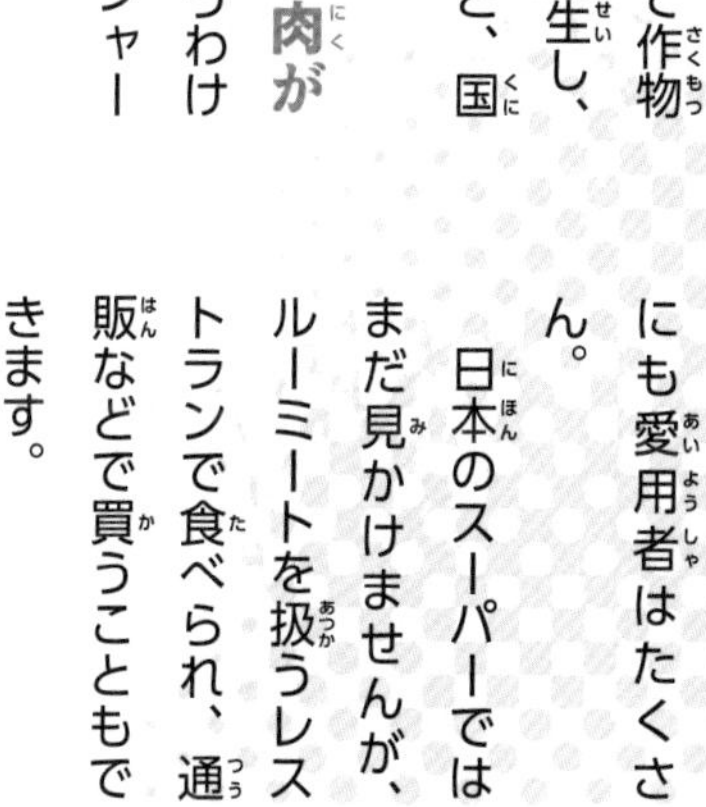

クセが少《すく》なくさっぱりしていてヘルシー

サンタクロースの国《くに》では トナカイを 食《た》べている

DATA データ

分類《ぶんるい》	食用《しょくよう》にする国《くに》・地域《ちいき》	代表的《だいひょうてき》な料理《りょうり》	味《あじ》のとくちょう
ほ乳類《にゅうるい》	北欧《ほくおう》	シチュー、煮《に》こみ	脂《あぶら》が少《すく》なく、さっぱりしている

サンタクロースは「ラップランド」に住《す》んでいる、とよく言《い》われます。ラップランドというのはフィンランドやノルウェーなどいくつかの国《くに》にまたがる北極圏《ほっきょくけん》の地域《ちいき》。時《とき》にはマイナス30℃になることもあるとても寒《さむ》いところで、オーロラが見《み》えることで有名《ゆうめい》です。

シカ科《か》の中《なか》で最《もっと》も北《きた》に生息《せいそく》するトナカイが、サンタクロースの良《よ》きパートナーとなったのも納得《なっとく》。トナカイは荷物《にもつ》を運《はこ》ぶだけでなく、時《とき》には食料《しょくりょう》としても古《ふる》くからラップランドの住人《じゅうにん》の暮《く》らしを助《たす》けてくれた生《い》き物《もの》なのです。

トナカイ肉《にく》の味《あじ》はシカとよく似《に》ている

トナカイはシカの仲間《なかま》なので、味《あじ》もシカとよく似《に》ていて、クセも少《すく》なくあっさりしています。ラップランドにはトナカイ肉《にく》を煮《に》こみ、コケモモのジャムをのせ、マッシュポテトをそえた「トナカイシチュー」という郷土料理《きょうどりょうり》があります。

わたしたちがイメージするシチューとはちがって汁《しる》けのない料理《りょうり》ですが、栄《えい》養《よう》たっぷりの温《あたた》かいメニューで、寒《さむ》い冬《ふゆ》にぴったり。

日本《にほん》では数少《かずすく》ないですが、北欧料理《ほくおうりょうり》のレストランなどでトナカイ肉《にく》が食《た》べられます。また、北海道《ほっかいどう》のトナカイ牧場《ぼくじょう》で作《つく》られたソーセージなども、通販《つうはん》で売《う》られています。

トナカイシチュー
料理例《りょうりれい》
味《あじ》つけも肉自体《にくじたい》もあっさりしていて食《た》べやすい

ダチョウの卵《たまご》は でかい!! ニワトリの卵《たまご》の 25倍《ばい》くらいある うまい!?

レア度《ど》 ★★★

DATA データ

分類《ぶんるい》	食用《しょくよう》にする国《くに》・地域《ちいき》	代表的《だいひょうてき》な料理《りょうり》	味《あじ》のとくちょう
鳥類《ちょうるい》	アフリカ、ヨーロッパ、中国《ちゅうごく》など	ステーキ、タタキ、スープ	卵《たまご》は予想《よそう》を裏切《うらぎ》らない大味《おおあじ》

体長《たいちょう》2メートル以上《いじょう》、体重《たいじゅう》100キロ以上《いじょう》になる世界最大《せかいさいだい》の鳥《とり》・ダチョウは、その卵《たまご》も世界《せかい》最大《さいだい》！ 大《おお》きさはニワトリの卵《たまご》の25倍《ばい》ほど、重《おも》さは約《やく》1・2〜1・8キロにもなります。カラがとても厚《あつ》くてかたいので、ハンマーなどを使《つか》わないと割《わ》れません。

巨大《きょだい》な目玉焼《めだまや》きを作《つく》ってお腹《なか》いっぱい食《た》べたくなりますが、残念《ざんねん》ながら味《あじ》の方《ほう》はイマイチ。**白身《しろみ》が多《おお》く薄味《うすあじ》で、普通《ふつう》の目玉焼《めだまや》きを期待《きたい》するとちょっとがっかりします。**

ただ、ダチョウ牧場《ぼくじょう》「クイーンズオーストリッチつくば」の加藤牧場長《かとうぼくじょうちょう》によると、「卵《たまご》の味《あじ》はエサでかなり変《か》わります。エサをいじったら、〝こんなにおいしいの!?〟とお客様《きゃくさま》に驚《おどろ》かれたことも。プリンやカステラのようなお菓子系《かしけい》に使《つか》うなど、調理方法《ちょうりほうほう》によっては鶏卵《けいらん》よりおいしくなります」とのこと。

肉《にく》はヘルシーで世界的《せかいてき》に期待《きたい》の食材《しょくざい》

また、肉《にく》の方《ほう》は食材《しょくざい》として優秀《ゆうしゅう》です。**きれいな赤身《あかみ》で、鶏肉《とりにく》よりも馬肉《ばにく》に近《ちか》い味《あじ》わい。**牛肉《ぎゅうにく》と比《くら》べるとカロリーは半分《はんぶん》、脂肪《しぼう》は7分《ぶん》の1とヘルシーなのです。

世界的《せかいてき》に人気《にんき》の食材《しょくざい》になりつつありますが、日本《にほん》ではまだまだマイナーな存在《そんざい》。もう少《すこ》し国内《こくない》の牧場《ぼくじょう》が増《ふ》えて価格《かかく》が安《やす》くなれば、普通《ふつう》に買《か》えるようになるかもしれません。

料理《りょう》理《り》例《れい》

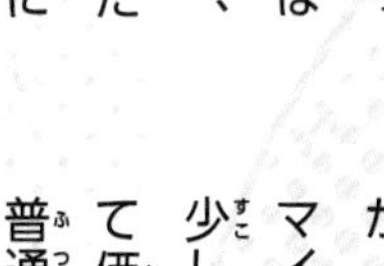

ダチョウの目玉焼《めだまや》き

ラクダのコブは食《た》べられる

レア度《ど》 ★★★★

DATA データ

分類《ぶんるい》	食用《しょくよう》にする国《くに》・地域《ちいき》	代表的《だいひょうてき》な料理《りょうり》	味《あじ》のとくちょう
ほ乳類《にゅうるい》	アフリカ、中東《ちゅうとう》、アメリカ、中国《ちゅうごく》	ステーキ、ケバブ、ハンバーガー	肉《にく》はくさみが少《すく》なく、鹿肉《しかにく》や牛肉《ぎゅうにく》のよう

背中《せなか》に飛《と》び出《で》たコブが特徴的《とくちょうてき》な、砂漠《さばく》の生《い》き物《もの》ラクダ。砂漠《さばく》を旅《たび》する遊牧民《ゆうぼくみん》にとって、ラクダは移動《いどう》に欠《か》かせない相棒《あいぼう》であり、栄養《えいよう》のあるミルクを出《だ》してくれる大切《たいせつ》な家畜《かちく》でもあります。

ラクダのミルクは中東《ちゅうとう》やアフリカで普通《ふつう》に飲《の》まれていたのですが、最近《さいきん》になってその栄養価《えいようか》の高《たか》さが注目《ちゅうもく》され、アメリカなどに健康食《けんこうしょく》として広《ひろ》まりました。また、ドバイではラクダミルクを使《つか》った高級《こうきゅう》チョコレート、「アルナスマ」が定番《ていばん》のお土産《みやげ》となっています。

珍味《ちんみ》のコブは脂肪《しぼう》のかたまり

肉《にく》の方《ほう》も、年老《としお》いたラクダはかたくてまずいと言《い》われますが、若《わか》いラクダは赤身《あかみ》の多《おお》いシカのような味《あじ》わいでとてもおいしく、くさみもありません。中東《ちゅうとう》ではステーキのほかに、ケバブやハンバーガーなどにして日常的《にちじょうてき》に食《た》べられています。

また、中国《ちゅうごく》では、よりすぐりの**珍《めずら》しい食《た》べ物《もの》を出《だ》す宴会料理《えんかいりょうり》「満漢全席《まんかんぜんせき》」の中《なか》に、ラクダのコブ**が入《はい》っています。ただし、ラクダのコブはかこくな砂漠《さばく》を生《い》き抜《ぬ》くためにエネルギーを脂肪《しぼう》に変《か》えて貯《た》めておく器官《きかん》なので、ほとんど脂肪《しぼう》のかたまり。プルプルとした食感《しょっかん》は楽《たの》しめますが、特《とく》においしいというわけではないようです。

特《とく》においしいわけではない脂肪《しぼう》のかたまり

群馬《ぐんま》のスネークセンターでは、ヘビの展示《てんじ》を見《み》たあとでヘビを食《た》べられる

おいでませ
スネークセンター
白蛇観音
みてよし
たべてよし
レア度《ど》

DATA データ

分類《ぶんるい》	食用《しょくよう》にする国《くに》・地域《ちいき》	代表的《だいひょうてき》な料理《りょうり》	味《あじ》のとくちょう
は虫類《ちゅうるい》	日本《にほん》、中国《ちゅうごく》、ベトナム、台湾《たいわん》	スープ、いため物《もの》	鶏肉《とりにく》のようなうまみ

中国料理《ちゅうごくりょうり》のメニュー表《ひょう》を見《み》ると、漢字《かんじ》だらけでよくわからないなんてことがありますが、「龍《りゅう》」の文字《もじ》が入《はい》っている料理《りょうり》は、だいたいヘビ料理《りょうり》。**ヘビは上品《じょうひん》なダシが出《で》るので、中国《ちゅうごく》や台湾《たいわん》ではスープに使《つか》われることが多《おお》い**食材《しょくざい》です。

肉《にく》は鶏肉《とりにく》に弾力《だんりょく》とうまみを足《た》したような、力強《ちからづよ》い味《あじ》わいです。日本《にほん》で食《た》べられるのは、主《おも》にマムシやシマヘビ。群馬県《ぐんまけん》には世界中《せかいじゅう》のヘビをひと通《とお》り見物《けんぶつ》してから、食堂《しょくどう》でヘビ料理《りょうり》を食《た》べられる驚《おどろ》きのヘビ専門動物園《せんもんどうぶつえん》「ジャパン・スネークセンター」があります。

ヘビは骨《ほね》を抜《ぬ》くのがやっかいなのでたたいていただく

獲物《えもの》を締《し》めつけて倒《たお》すヘビがいることからも想像《そうぞう》できるように、ヘビは細長《ほそなが》い体《からだ》の全部《ぜんぶ》が筋肉《きんにく》です。**すばやく逃《のが》れようとしますが、ヘビを扱《あつか》うプロは目《め》にもとまらぬ速《はや》さで処理《しょり》**します。頭《あたま》を落《お》としてから長《なが》い皮《かわ》を、靴下《くつした》を脱《ぬ》がせるかのように手《て》でピーッとはがします。ヘビをさばく職人《しょくにん》の技《わざ》はまるで魔法《まほう》のように思《おも》えるほど。骨《ほね》はなかなか抜《ぬ》くことができないので、いため物《もの》などの場合《ばあい》は骨《ほね》ごとよくたたいてから料理《りょうり》されます。

新鮮《しんせん》なヘビの肉《にく》はかむほどにじわ〜っとうまみが出《で》てくるので、口《くち》の中《なか》でじっくり楽《たの》しめる食材《しょくざい》です。

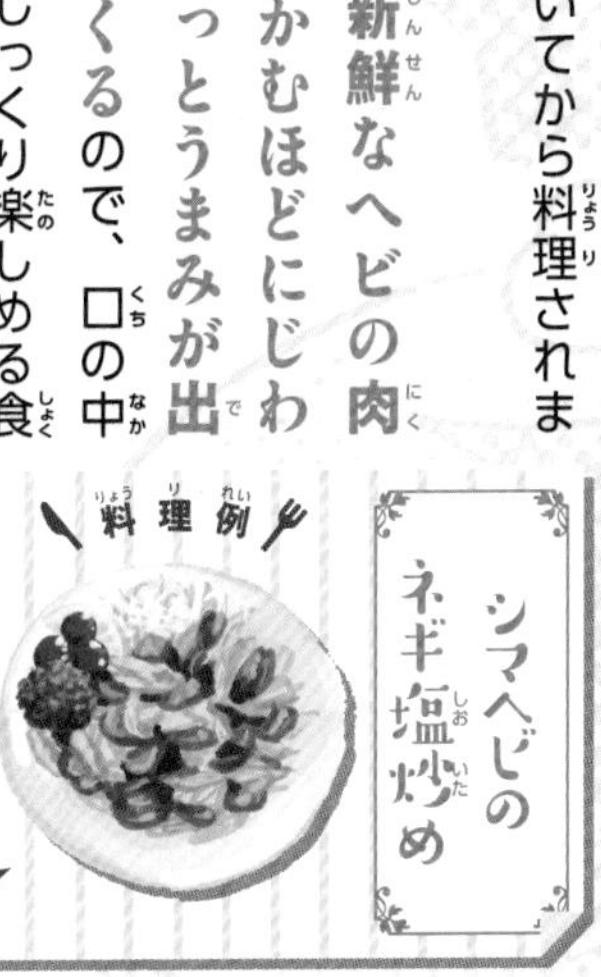

歯《は》ごたえプリプリでうまみもたっぷり！

コラム1

食《た》べてみたくなった人《ひと》のために

　みなさんのまわりにも、「じつは食《た》べられる生《い》き物《もの》」がたくさんいます。ですが、どれでもとって食《た》べていい、というわけではありません。いくつか注意《ちゅうい》することがあります。まず、「とっていいかどうか」です。

　その生《い》き物《もの》が絶滅《ぜつめつ》しそうな場合《ばあい》。1匹《ぴき》とったくらいで……と思《おも》うかもしれませんが、百人《ひゃくにん》がそう考《かんが》えたら百匹《ひゃっぴき》減《へ》ってしまいます。絶滅危惧種《ぜつめつきぐしゅ》など、保護《ほご》されている生《い》き物《もの》はとってはいけません。絶滅危惧種《ぜつめつきぐしゅ》とは数《かず》が少《すく》なくなり、地球上《ちきゅうじょう》からいなくなってしまう可能性《かのうせい》のある生《い》き物《もの》のことで、例《たと》えばライオンやゾウ、ゴリラ、カバなどがそれにあたります。

　それから、漁協《ぎょきょう》（魚《さかな》や漁師《りょうし》を管理《かんり》する人《ひと》たち）が川《かわ》や池《いけ》に魚《さかな》を放《はな》している場合《ばあい》、お金《かね》を払《はら》わずに勝手《かって》にとってはいけないことになっています。魚《さかな》の種類《しゅるい》によってはとってもいいことがありますし、本当《ほんとう》はいけない場合《ばあい》でも「まあそれくらい、いいよ」ということもありますが、絶対《ぜったい》ダメな場合《ばあい》もあるので注意《ちゅうい》してください。アユやヤマメは普通《ふつう》、ダメです。

　採集禁止《さいしゅうきんし》になっている場所《ばしょ》もあります。保護区《ほごく》（自然《しぜん》や生《い》き物《もの》を守《まも》るための地域《ちいき》・場所《ばしょ》）や国立公園《こくりつこうえん》は基《き》本的《ほんてき》に、何《なに》もとってはいけない場所《ばしょ》です。町《まち》なかの公園《こうえん》でも、「虫取《むしと》り禁止《きんし》」と書《か》いてあるところはダメです。都会《とかい》ではセミもバッタも少《すく》なくなってしまったので、保護《ほご》しないといけないからです。

コラム 1

食《た》べてみたくなった人《ひと》のために

鳥《とり》やほ乳類《にゅうるい》の生《い》き物《もの》を勝手《かって》にとってはいけない

鳥《とり》とほ乳類《にゅうるい》は鳥獣保護法《ちょうじゅうほごほう》、動物愛護法《どうぶつあいごほう》、狩猟法《しゅりょうほう》という法律《ほうりつ》によって厳《きび》しく保護《ほご》されているので、注意《ちゅうい》してください。基本的《きほんてき》にどれもとってはいけません。

狩猟鳥獣《しゅりょうちょうじゅう》に指定《してい》された種類《しゅるい》だけは狩猟《しゅりょう》を許《ゆる》された時期《じき》に、許可《きょか》を受《う》けた方法《ほうほう》でのみ、とることが許《ゆる》されています。銃《じゅう》や罠《わな》は免許《めんきょ》がないと使《つか》えません。猟期《りょうき》に、自分《じぶん》の家《いえ》の庭《にわ》に入《はい》ってきた狩猟鳥獣《しゅりょうちょうじゅう》（たとえばマガモ）を手《て》づかみでとるなら違法《いほう》ではありませんが、まあ、基本《きほん》ムリですね（笑）。

次《つぎ》に、「食《た》べても大丈夫《だいじょうぶ》かどうか」です。

キノコや山菜《さんさい》は要注意《ようちゅうい》です。よく似《に》た毒《どく》キノコなんかがあるからです。魚《さかな》の中《なか》にも毒《どく》をもったものがいます。フグが有名《ゆうめい》ですが、それ以外《いがい》にもソウシハギなど毒《どく》をもっているかもしれない魚《さかな》がいます。毒《どく》があるかどうかわからないものは、食《た》べない方《ほう》がいいでしょう。

何《なに》より大事《だいじ》なのは火《ひ》を通《とお》して食《た》べること

あと、つかまえるときに怪我《けが》をしないのも大事《だいじ》です。

要注意《ようちゅうい》なのは病原体《びょうげんたい》です。食《た》べるために飼《か》われているニワトリやブタやウシは健康管理《けんこうかんり》されていますし、肉《にく》も出荷《しゅっか》する前《まえ》に検査《けんさ》されています。ですが、野生動物《やせいどうぶつ》の場合《ばあい》、誰《だれ》も何《なに》も調《しら》べていません。食《た》べるなら必《かなら》ず火《ひ》を通《とお》してください。加熱《かねつ》が不十《ふじゅう》分《ぶん》な場合《ばあい》、細菌《さいきん》、ウイルス、寄生虫《きせいちゅう》などが生《い》き残《のこ》っている場合《ばあい》があります。

本当《ほんとう》は素手《すで》で料理《りょうり》するのもおすすめできません。生《なま》で食《た》べるのは絶対《ぜったい》に、絶対《ぜったい》にダメです。川《かわ》や池《いけ》の魚《さかな》も、寄生虫《きせいちゅう》がいることがあるので、生《なま》で食《た》べるのはやめてください。

といって、そんなに怖《こわ》がることはありません。私《わたし》だってその辺《へん》の川《かわ》で釣《つ》った魚《さかな》を焼《や》いて食《た》べています。ただ、「とっていいか」「食《た》べていいか」だけは、くれぐれも注意《ちゅうい》してくださいね。

松原《まつばら》 始《はじめ》（動物行動学者《どうぶつこうどうがくしゃ》）

じつは食《た》べられる

海《うみ》・川《かわ》の生《い》き物《もの》たち

第《だい》2章《しょう》

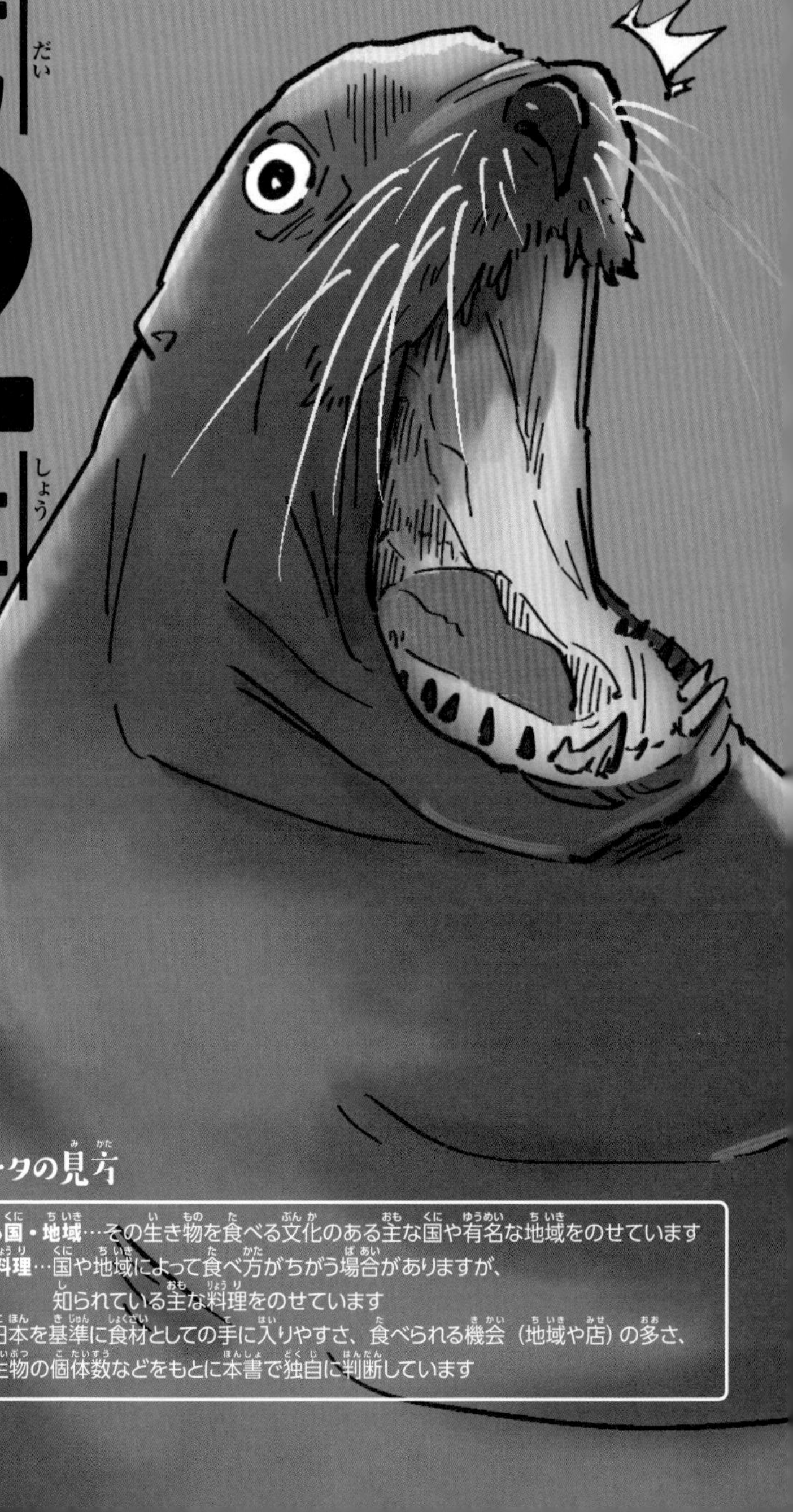

データの見方《みかた》

食用《しょくよう》にする国《くに》・地域《ちいき》…その生《い》き物《もの》を食《た》べる文化《ぶんか》のある主《おも》な国《くに》や有名《ゆうめい》な地域《ちいき》をのせています
代表的《だいひょうてき》な料理《りょうり》…国《くに》や地域《ちいき》によって食《た》べ方《かた》がちがう場合《ばあい》がありますが、
知《し》られている主《おも》な料理《りょうり》をのせています
レア度《ど》…日本《にほん》を基準《きじゅん》に食材《しょくざい》としての手《て》に入《はい》りやすさ、食《た》べられる機会《きかい》（地域《ちいき》や店《みせ》）の多《おお》さ、
生物《せいぶつ》の個体数《こたいすう》などをもとに本書《ほんしょ》で独自《どくじ》に判断《はんだん》しています

マンボウの身《み》は水《みず》っぽい

DATA データ

分類《ぶんるい》	食用《しょくよう》にする国《くに》・地域《ちいき》	代表的《だいひょうてき》な料理《りょうり》	味《あじ》のとくちょう
魚類《ぎょるい》	日本《にほん》、台湾《たいわん》	刺《さ》し身《み》、から揚《あ》げ	身《み》にあまり味《あじ》はなく、食感《しょっかん》はイカや鶏《とり》のササミのよう

体長《たいちょう》2メートル、体重《たいじゅう》は軽《かる》く1トン以上《いじょう》に成長《せいちょう》するマンボウは、外洋《がいよう》で生活《せいかつ》するように進化《しんか》したフグの仲間《なかま》です。その形《かたち》がとてもユニークで、他《ほか》の魚《さかな》が持《も》っている尾《お》びれと腹《はら》びれがなく、人間《にんげん》の肋骨《ろっこつ》にあたる骨《ほね》もありません。肋骨《ろっこつ》がないのはフグの名残《なごり》だと考《かんが》えられています。

〝水族館《すいぞくかん》で見《み》る魚《さかな》〟というイメージの強《つよ》いマンボウですが、食用《しょくよう》として出回《でまわ》っている地域《ちいき》があります。宮城《みやぎ》や三重《みえ》、高知《こうち》などで他《ほか》の魚《さかな》をとるための網《あみ》にかかることがあり、スーパー等《など》で売《う》られています。フグの仲間《なかま》ですが毒《どく》は持《も》っていないので、食《た》べても全《まった》く問題《もんだい》ありません。

ホルモンも皮《かわ》も おいしく食《た》べられる

身《み》はやわらかく、少《すこ》し水《みず》っぽいのが特徴《とくちょう》。火《ひ》を通《とお》すと水分《すいぶん》が抜《ぬ》けて3割《わり》ほど小《ちい》さくなります。食《た》べ方《かた》は刺《さ》し身《み》や天《てん》ぷら、から揚《あ》げなどいろいろな料理《りょうり》で楽《たの》しめます。

〝百尋《ひゃくひろ》〟と呼《よ》ばれ、とても長《なが》いマンボウの腸《ちょう》は、いためると焼肉《やきにく》のホルモンのような味《あじ》がして、身《み》よりもむしろ人気《にんき》です。また、肝《きも》は濃厚《のうこう》な味《あじ》がする珍味《ちんみ》として漁師《りょうし》の間《あいだ》では特《とく》に好《この》まれています。

ただ、マンボウはとても足《あし》が早《はや》い（腐《くさ》りやすい）ので、とれた土《と》地《ち》で消費《しょうひ》されることが多《おお》く、漁獲《ぎょかく》された地元《じもと》の町《まち》でこそおいしく食《た》べられる魚《さかな》といえるでしょう。

料理例《りょうりれい》

マンボウの腸《ちょう》いため

ブタやウシのホルモンのような味《あじ》！

ネズミザメの心臓《しんぞう》は「モウカの星《ほし》」と呼《よ》ばれる貴重《きちょう》な珍味《ちんみ》

DATA データ

分類《ぶんるい》	食用《しょくよう》にする国《くに》・地域《ちいき》	代表的《だいひょうてき》な料理《りょうり》	味《あじ》のとくちょう
魚類《ぎょるい》	日本《にほん》、ヨーロッパ、アジア諸国《しょこく》	煮《に》つけ、刺《さ》し身《み》、フライ	「モウカの星《ほし》」はクセのない牛《ぎゅう》レバーのよう

サメと言《い》えば有名《ゆうめい》なのは、「フカヒレ」です。大型《おおがた》のサメのヒレを使《つか》った中華料理《ちゅうかりょうり》の高級食材《こうきゅうしょくざい》で、姿煮《すがたに》やスープなどにされます。

それとは別《べつ》に、日本《にほん》でも**関東《かんとう》から北《きた》、東《とう》北《ほく》では魚屋《さかなや》さんやスーパーで日常的《にちじょうてき》に並《なら》ぶ食材《しょくざい》**のため、「サメを食《た》べるなんて普通《ふつう》」だと思《おも》う方《かた》もいるでしょう。また、岡山《おかやま》や広島《ひろしま》あたりの一部地域《いちぶちいき》ではサメのことを「ワニ」と呼《よ》んでおり、まぎらわしいのですが、郷土料理《きょうどりょうり》として「ワニ（サメ）料理《りょうり》」が存在《そんざい》します。

見《み》た目《め》も味《あじ》も牛《ぎゅう》レバーそっくり！

食用《しょくよう》に適《てき》しているとされるサメのひとつに、ネズミザメがあります。別名《べつめい》モウカザメとも言《い》いますが、**身《み》はクセが少《すく》なく味《あじ》もあっさりしていて、いろいろな料理《りょうり》に合《あ》う**魚《さかな》です。このモウカザメの心臓《しんぞう》は「モウカの星《ほし》」と呼《よ》ばれ、見《み》た目《め》も味《あじ》も今《いま》は食《た》べられない**ウシのレバ刺《さ》しのような濃厚《のうこう》さがあり、珍味中《ちんみちゅう》の珍味《ちんみ》**として知《し》られています。

サメは一般的《いっぱんてき》にアンモニアを多《おお》く含《ふく》み、鮮度《せんど》が落《お》ちるとくさくなります。ネズミザメが食《た》べやすいのは、このアンモニア臭《しゅう》が比較的少《ひかくてきすく》ないから。ですが、アンモニアのおかげでサメの肉《にく》は保存《ほぞん》がきき、冷蔵《れいぞう》技術《ぎじゅつ》が発達《はったつ》していなかった時代《じだい》には山奥《やまおく》まで流通《りゅうつう》していました。当《とう》時《じ》は貴重《きちょう》な海《うみ》の幸《さち》だったということです。

料理《りょう》例《れい》

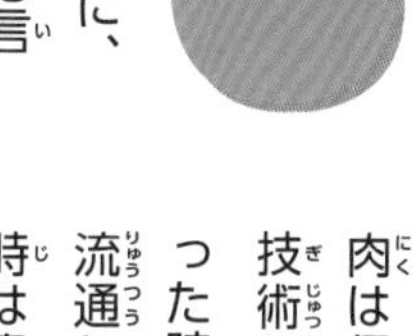

モウカの星《ほし》

見《み》た目《め》も味《あじ》もレバ刺《さ》しのよう！

熊《くま》本《もと》のごく一《いち》部《ぶ》の地域《ちいき》で食《た》べられているヒトデ

くまもとラーメンより
からしれんこんよりヒトデ!
レア度《ど》

DATA データ

分類《ぶんるい》	食用《しょくよう》にする国《くに》・地域《ちいき》	代表的《だいひょうてき》な料理《りょうり》	味《あじ》のとくちょう
棘皮動物《きょくひどうぶつ》	天草《あまくさ》（熊本県《くまもとけん》）、中国《ちゅうごく》	塩《しお》ゆで	ウニやカニミソに近《ちか》い味《あじ》

星型《ほしがた》のかわいらしい姿《すがた》で人気《にんき》のヒトデですが、実《じつ》はアサリやハマグリを食《く》い荒《あ》らす肉食《にくしょく》の生《い》き物《もの》。肥料《ひりょう》に混《ま》ぜたり虫除《むしよ》け剤《ざい》にする以外《いがい》はあまり使《つか》いみちがなく、海《うみ》に戻《もど》さないよう捨《す》てるにもお金《かね》がかかる。とにかく漁師《りょうし》には嫌《きら》われがちな、海《うみ》のやっかいものです。

毒《どく》や苦味《にがみ》を含《ふく》む種《しゅ》が多《おお》く、普通《ふつう》は食《た》べられることもありませんが、**日本《にほん》では熊本県天草《くまもとけんあまくさ》地方《ちほう》のごく一部《いちぶ》のみ、「マヒトデ」という種《しゅ》を食《た》べる**文化《ぶんか》が残《のこ》っています。それも卵《たまご》を持《も》つ3〜6月《がつ》だけ味《あじ》わえる珍味《ちんみ》。ヒトデの食用《しょくよう》は珍《めずら》しく、海外《かいがい》でも中国《ちゅうごく》くらいでしか食《た》べられません。

昔《むかし》の人《ひと》はおいしさの秘密《ひみつ》を知《し》っていた

食《た》べ方《かた》はシンプルに塩《しお》ゆでするだけ。裏側《うらがわ》を向《む》けて中身《なかみ》を押《お》し出《だ》すと卵《たまご》や内臓《ないぞう》が現《あらわ》れ、この部分《ぶぶん》を食《た》べます。**味《あじ》はウニやカニミソにそっくり！ 甘《あま》みがあって味《あじ》わい深《ぶか》い**のです。

その姿《すがた》からはまったく想像《そうぞう》しづらいですが、**ヒトデはウニやナマコの仲間《なかま》**。天草地方《あまくさちほう》ではマヒトデのことを「いつつがぜ」「ごほんがぜ」と言《い》います。「がぜ」はウニの古《ふる》い呼《よ》び方《かた》で、つまり〝5本足《ほんあし》のウニ〟という意味《いみ》。味《あじ》が似《に》ているだけで、同《おな》じ仲間《なかま》の生《い》き物《もの》だと見抜《みぬ》いた昔《むかし》の人《ひと》はすごいですね。

ウニやカニミソのような甘《あま》みと深《ふか》みが！

有明海《ありあけかい》には食《た》べられるイソギンチャクがいる

レア度《ど》 ★★★

DATA データ

分類《ぶんるい》	食用《しょくよう》にする国《くに》・地域《ちいき》	代表的《だいひょうてき》な料理《りょうり》	味《あじ》のとくちょう
刺胞動物《しほうどうぶつ》	日本《にほん》、スペイン、中国《ちゅうごく》、タイ	みそ煮《に》、みそ汁《しる》、から揚《あ》げ	コリコリとして貝《かい》に近《ちか》い

岩《いわ》にくっついて触手《しょくしゅ》を広《ひろ》げふわふわと漂《ただよ》わせる海《うみ》の花《はな》、イソギンチャク。見《み》ようによってはかわいくもありますが、あまり食欲《しょくよく》をそそる姿《すがた》ではありません。しかし、海《うみ》のものならとりあえず食《た》べてみるのが、日本人《にほんじん》。**国内《こくない》には、このイソギンチャクを食《た》べる地域《ちいき》がいくつかあるのです。**

中《なか》でも有名《ゆうめい》なのは、九州《きゅうしゅう》の有明海《ありあけかい》でとれるイシワケイソギンチャクです。別名《べつめい》を「ワケノシンノス」といって、その意味《いみ》はなんと「若者《わかもの》の尻《しり》の穴《あな》」を指《さ》します。

名前《なまえ》や見《み》た目《め》からは想像《そうぞう》できない深《ふか》い味《あじ》わい

とても食《た》べ物《もの》につく名前《なまえ》とは思《おも》えませんが、味《あじ》は別《べつ》。**ワケノシンノスはコリコリと歯《は》ごたえがあり、貝類《かいるい》の内臓《ないぞう》のような深《ふか》みも感《かん》じられる**、大人《おとな》のおつまみなのです。主《おも》にみそ煮《に》やみそ汁《しる》、から揚《あ》げなどにして食《た》べられています。やや生《なま》ぐささがあるので、くさみをとる料理法《りょうりほう》が合《あ》います。

なお、九州以外《きゅうしゅういがい》でも、**山陰地方《さんいんちほう》や沖縄《おきなわ》で別《べつ》の種類《しゅるい》のイソギンチャクが食《た》べられ**ているほか、海外《かいがい》では中国《ちゅうごく》やタイなどでも食《た》べられています。また、スペインでは「オルティギージャス」というイソギンチャクのフライが有名《ゆうめい》。世界《せかい》を見《み》渡《わた》すと、食用《しょくよう》にしている地域《ちいき》は意外《いがい》とあるものです。

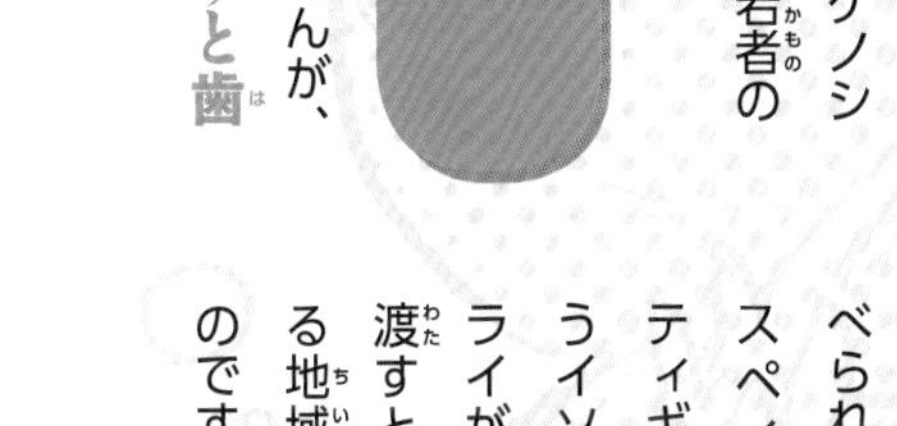

ワニの肉《にく》は ヘルシーで栄《えい》養《よう》がある

DATA データ

分類《ぶんるい》	食用《しょくよう》にする国《くに》・地域《ちいき》	代表的《だいひょうてき》な料理《りょうり》	味《あじ》のとくちょう
は虫類《ちゅうるい》	アメリカ、アフリカ、オーストラリアなど	ステーキ、スープ、フライ	鶏肉《とりにく》にかなり近《ちか》い

牙《きば》が生《は》えた大《おお》きな口《くち》に、ゴツゴツのウロコ。まるで怪獣《かいじゅう》のような水辺《みずべ》の生《い》き物《もの》、ワニ。日本人《にほんじん》にはワニが食材《しょくざい》という意識《いしき》はあまりないかもしれませんが、世界的《せかいてき》に見《み》るとアメリカやタイ・カンボジア等《など》のアジア、オーストラリア、アフリカ等《など》で一般的《いっぱんてき》に食《た》べられています。

見《み》た目《め》からは信《しん》じられませんが、実《じつ》はワニは、**今《いま》いる動物《どうぶつ》の中《なか》では最《もっと》も鳥《とり》に近《ちか》い**生《い》き物《もの》。肉《にく》の味《あじ》も鶏肉《とりにく》に近《ちか》いですが、**鶏肉《とりにく》とも魚《さかな》とも言《い》えない独特《どくとく》の味《あじ》わい**があります。脂肪《しぼう》の少《すく》ない白身肉《しろみにく》でヘルシーなうえに、コラーゲンも豊富《ほうふ》に含《ふく》まれています。

見《み》た目《め》はすごいが おいしい「ワニの手《て》」

日本《にほん》にはもともとワニはいませんが、輸入品《ゆにゅうひん》のワニ肉《にく》が通販《つうはん》などで購入《こうにゅう》できます。通販《つうはん》のワニ肉《にく》で驚《おどろ》かされるのは、爪《つめ》と皮《かわ》がついたままの「ワニの手《て》」。**プルプルでやわらかく、ジューシーな味《あじ》わい**です。

余談《よだん》ですが、鹿児島県《かごしまけん》の奄美大島《あまみおおしま》では過去《かこ》に何度《なんど》か海《うみ》に流《なが》されて漂着《ひょうちゃく》したワニが見《み》つかったことがあります。なんと、江戸時代末期《えどじだいまっき》に書《か》かれた『南島雑話《なんとうざつわ》』には、1850年《ねん》ころにワニを捕獲《ほかく》し、食《た》べたと書《か》かれているのです。その味《あじ》は「ウミガメの味《あじ》に似《に》ている」と表現《ひょうげん》されています。当時《とうじ》の奄美大島《あまみおおしま》ではウミガメを食《た》べていたということでしょうね。

料理例《りょうりれい》

ワニの手《て》のから揚《あ》げ

まるでフライドチキンのようなうまみ！

小《お》笠《がさ》原《わら》諸《しょ》島《とう》では ウミガメ肉《にく》の お寿《す》司《し》が食《た》べられる

DATA データ

分類《ぶんるい》	食用《しょくよう》にする国《くに》・地域《ちいき》	代表的《だいひょうてき》な料理《りょうり》	味《あじ》のとくちょう
は虫類《ちゅうるい》	小笠原諸島《おがさわらしょとう》（東京都《とうきょうと》）、八重山諸島《やえやましょとう》（沖縄県《おきなわけん》）	寿司《すし》、煮《に》こみ	あっさりした赤身肉《あかみにく》の味《あじ》

おとぎ話《ばなし》「浦島太郎《うらしまたろう》」にも出《で》てくるように、日本人《にほんじん》にとってウミガメは古《ふる》くからなじみのある生《い》き物《もの》で、**離島《りとう》や太平洋側《たいへいようがわ》の一部地域《いちぶちいき》では食用《しょくよう》**にされてきました。海外《かいがい》でも、特《とく》に離島《りとう》ではウミガメの肉《にく》が貴重《きちょう》なたんぱく源《げん》。大《だい》航海時代《こうかいじだい》には、船上《せんじょう》で補給《ほきゅう》できる新鮮《しんせん》な肉《にく》として食《た》べられています。

しかし、近年《きんねん》では乱獲《らんかく》や、産卵《さんらん》に適《てき》した砂浜《すなはま》が減《へ》ったことにより、数《かず》を大《おお》きく減《へ》らしています。ウミガメは世界《せかい》で7種確認《しゅかくにん》されていますが、今《いま》ではなんと6種《しゅ》が絶滅危惧種《ぜつめつきぐしゅ》なのです。

食用《しょくよう》が認《みと》められているのはごく一部《いちぶ》の地域《ちいき》だけ

そんな貴重《きちょう》なウミガメですが、**小笠原諸島《おがさわらしょとう》や八重山諸島《やえやましょとう》では今《いま》も食《た》べられます。**このあたりは、保護活動《ほごかつどう》が実《み》を結《むす》んでウミガメの個体数《こたいすう》を増《ふ》やしている、世界的《せかいてき》にも珍《めずら》しい地域《ちいき》。そのため、決《き》められた数《かず》までとることが許《ゆる》されているのです。

ウミガメの肉《にく》はきれいな赤身《あかみ》で、馬《ば》肉《にく》に近《ちか》いあっさりとした味《あじ》わいが特徴《とくちょう》。寿司《すし》や刺《さ》し身《み》で食《た》べると、クセがなくて驚《おどろ》きます。小笠原諸島《おがさわらしょとう》ではウミガメの缶詰《かんづめ》やレトルト食品《しょくひん》を買《か》うこともできます。小笠原《おがさわら》へは東京《とうきょう》の竹芝客船《たけしばきゃくせん》ターミナルから船《ふね》で丸一日《まるいちにち》かけて行《い》かなければならないので、ウミガメ料理《りょうり》はまさに〝秘境《ひきょう》の味《あじ》〟といえるでしょう。

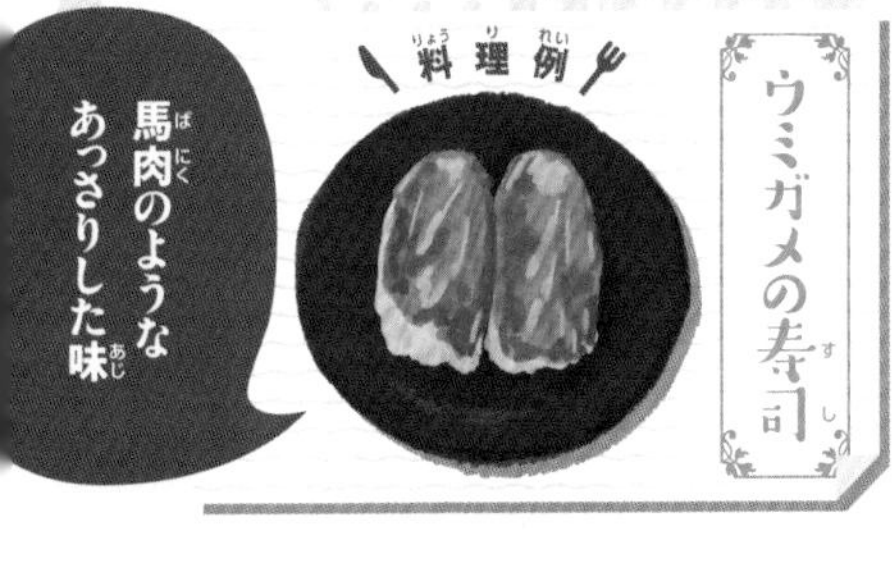

タラバガニの親戚《しんせき》だからおいしい
ヤドカリ

レア度《ど》

なにコイツ…
まぁ親せきだからそりゃウマイわな! なぁ兄弟!
アッハッハッハ
タラバガニ
ヤドカリ

DATA データ

分類《ぶんるい》	食用《しょくよう》にする国《くに》・地域《ちいき》	代表的《だいひょうてき》な料理《りょうり》	味《あじ》のとくちょう
甲殻類《こうかくるい》	日本《にほん》	刺《さ》し身《み》、みそ汁《しる》	エビやカニに似《に》ている

ヤドカリの仲間《なかま》は高級食材《こうきゅうしょくざい》ばかり

ヤドカリと言《い》えば、いろいろな貝《かい》ガラを背《せ》負《お》って砂浜《すなはま》を歩《ある》く小《ちい》さな姿《すがた》が思《おも》い浮《う》かびます。ただ、食用《しょくよう》にされているのはいくつかの地域《ちいき》に存在《そんざい》する、大《おお》きくなる種《しゅ》。例《たと》えばホンドオニヤドカリは三重県《みえけん》や神奈川県《かながわけん》で、ラスバンホンヤドカリは島根県《しまねけん》で食《た》べられていて、他《ほか》にも青森《あおもり》県《けん》や千葉県《ちばけん》では別《べつ》の種《しゅ》が食《た》べられています。

大型《おおがた》の種《しゅ》であっても、食《た》べられる部分《ぶぶん》はあまり多《おお》くありません。でも、味《あじ》はとても良《よ》く、**特《とく》にお腹《なか》の身《み》の部分《ぶぶん》は刺《さ》し身《み》で食《た》べると甘《あま》みがあって、エビやカニのような味《あじ》がします。**身《み》を取《と》り出《だ》しにくいツメや足《あし》の部分《ぶぶん》も、みそ汁《しる》にすればいいダシが出《で》ます。

ヤドカリの味《あじ》がカニに似《に》ているのは当然《とうぜん》。冬《ふゆ》の味覚《みかく》の王様《おうさま》であるカニの中《なか》でも、食《た》べごたえのあるサイズで人気《にんき》の**タラバガニは、本当《ほんとう》はカニではなくヤドカリの仲間《なかま》**なのです。他《ほか》にもハナサキガニや、南《みなみ》の島《しま》で食《た》べられるヤシガニも、ヤドカリの仲間《なかま》。

普段《ふだん》は全《まった》く意識《いしき》していないだけで、わたしたちは普通《ふつう》にヤドカリの仲間《なかま》をおいしく食《た》べているのです。貝《かい》ガラを背負《せお》ったヤドカリがあまり食《た》べられないのは味《あじ》の問題《もんだい》というより、やはり食《た》べる部分《ぶぶん》が少《すく》ないという欠点《けってん》が大《おお》きいのでしょう。

料理《りょうり》例《れい》

ヤドカリのみそ汁《しる》

うまみがとても強《つよ》く深《ふか》みのあるダシが出《で》る！

レア度《ど》 ★★

マイネームイズウチダザリガニ
ノットアメリカザリガニ

日本《にほん》には アメリカから食用《しょくよう》として輸入《ゆにゅう》された ザリガニがいる

DATA データ

分類《ぶんるい》	食用《しょくよう》にする国《くに》・地域《ちいき》	代表的《だいひょうてき》な料理《りょうり》	味《あじ》のとくちょう
甲殻類《こうかくるい》	ヨーロッパ、中国《ちゅうごく》、日本《にほん》、アメリカ	いため物《もの》、塩《しお》ゆで	エビの味《あじ》

さきいかをつけた割《わ》りばしで、池《いけ》や川《かわ》、田《た》んぼの用水路《ようすいろ》などで気軽《きがる》に釣《つ》れるザリガニ。あまり食《た》べるというイメージはないかもしれませんが、実《じつ》はアカザエビやオマールといった高級食《こうきゅうしょく》材《ざい》とされるエビの仲間《なかま》であり、**味《あじ》もエビと同《おな》じような甘《あま》み・うまみ**があるんです。

日本《にほん》には3種《しゅ》のザリガニがいますが、ニホンザリガニは数《かず》が減《へ》り天然記念物《てんねんきねんぶつ》のため、とってはいけません。食《た》べられるのはザリガニとして一般的《いっぱんてき》に最《もっと》もイメージの強《つよ》い、体《からだ》の赤《あか》いアメリカザリガニと、灰色《はいいろ》っぽい体《からだ》のウチダザリガニです。実《じつ》は、ウチダザリガニは大正時代《たいしょうじだい》に食用《しょくよう》としてアメリカから持《も》ちこまれたもの。注意《ちゅうい》したいのは、その辺《へん》で釣《つ》ったザリガニを家《いえ》で食《た》べるというのは衛生面《えいせいめん》でのリスクが高《たか》く、きちんと食用《しょくよう》として管理《かんり》されたものを扱《あつか》っているお店《みせ》等《など》で食《た》べるのが安全《あんぜん》ということです。

海外《かいがい》ではザリガニパーティが開《ひら》かれる

ちなみに、北欧《ほくおう》やフランス、中国《ちゅうごく》では古《ふる》くからの人気食材《にんきしょくざい》。**スウェーデンでは「ザリガニパーティ」という夏《なつ》の伝統行事《でんとうぎょうじ》**があり、家族《かぞく》や友人《ゆうじん》と集《あつ》まりザリガニ料理《りょうり》を楽《たの》しみます。夏《なつ》に行《おこな》われるのは、19世紀《せいき》にヨーロッパ中《じゅう》で食《た》べられすぎて数《かず》が減《へ》ってしまい、8～9月《がつ》しか漁《りょう》が許《ゆる》されなくなったから。そこまでの人気《にんき》とは、驚《おどろ》きですね。

料理例《りょうりれい》

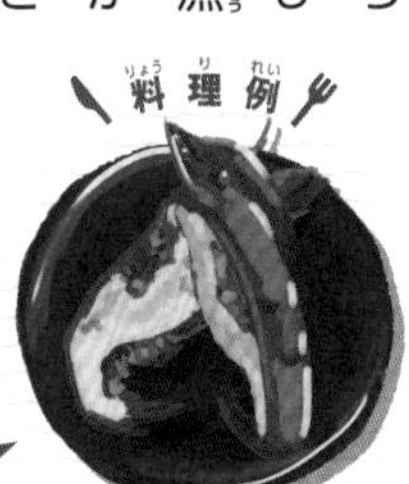

ザリガニの塩《しお》ゆで

エビと同《おな》じで甘《あま》みとうまみがつまっている！

レア度《ど》 ★★

コイは昔《むかし》から内陸《ない》《りく》の農村部《のう》《そん》《ぶ》では大事《だい》《じ》な食料《しょく》《りょう》だった

DATA データ

分類《ぶんるい》	食用《しょくよう》にする国《くに》・地域《ちいき》	代表的《だいひょうてき》な料理《りょうり》	味《あじ》のとくちょう
魚類《ぎょるい》	ヨーロッパ、中国《ちゅうごく》、日本《にほん》	コイこく（日本《にほん》）、フライ（中国《ちゅうごく》やヨーロッパ）	白身魚《しろみざかな》の味《あじ》だが脂《あぶら》のうまみもある

コイはもともと稲作《いなさく》と密接《みっせつ》に結《むす》びついた魚《さかな》で、ため池《いけ》や水田《すいでん》で育《そだ》ち、秋《あき》に水《みず》を抜《ぬ》くときに漁獲《ぎょかく》されていました。酸欠《さんけつ》にも強《つよ》く、濡《ぬ》れた布《ぬの》や新聞紙《しんぶんし》で巻《ま》いておけば長持《ながも》ちするため、鮮度《せんど》を保《たも》ったまま売《う》ることができます。そのため日《に》本《ほん》では、海《うみ》から離《はな》れた内陸《ないりく》の土地《とち》で大切《たいせつ》な栄養《えいよう》源《げん》とされてきました。

川魚《かわざかな》は泥臭《どろくさ》いと言《い》われますが、きれいな水《みず》で育《そだ》ったものを使《つか》い、泥抜《どろぬ》きをすればおいしく食《た》べられます。コイはウロコが薄《うす》く、身《み》が崩《くず》れやすいため、そのまま輪切《わぎ》りにしてみそで煮《に》こむ「コイこく」が有名《ゆうめい》です。コイは白身魚《しろみざかな》ですが、**その身《み》には独特《どくとく》の脂感《あぶらかん》があり、アユやイワナのような川魚《かわざかな》とはまたちがった味《あじ》わいがあります。**他《ほか》にもコリコリとした食感《しょっかん》が楽《たの》しめる「洗《あら》い」という刺《さ》し身《み》のような食《た》べ方《かた》や、甘露煮《かんろに》などにもされます。

海外《かいがい》でもコイは特別《とくべつ》な日《ひ》に食《た》べるもの！

日本《にほん》ではおめでたい席《せき》で食《た》べる習慣《しゅうかん》がありましたが、海外《かいがい》でも似《に》たような例《れい》があります。**チェコではなんと、クリスマス料理《りょうり》に**使《つか》われるのです。肉不足《にくぶそく》の時代《じだい》に、コイが代《か》わりに食《た》べられるようになり、そのまま習慣《しゅうかん》として定着《ていちゃく》しました。日《に》本《ほん》ではクリスマスにチキンがよく食《た》べられますが、国《くに》がちがえばコイフライになるのがおもしろいですね。

料理《りょうり》例《れい》
コイこく
他《ほか》の白身魚《しろみざかな》にはない独特《どくとく》の脂《あぶら》のうまみが！

トド肉《にく》は広《ひろ》めたくてもなかなか広《ひろ》まらない、難《むずか》しい食《しょく》材《ざい》

レア度《ど》 ★★

DATA データ

分類《ぶんるい》	食用《しょくよう》にする国《くに》・地域《ちいき》	代表的《だいひょうてき》な料理《りょうり》	味《あじ》のとくちょう
ほ乳類《にゅうるい》	北海道《ほっかいどう》	大和煮《やまとに》、ルイベ	牛肉《ぎゅうにく》と魚《さかな》、両方《りょうほう》の味《あじ》がする

世界自然遺産《せかいしぜんいさん》で有名《ゆうめい》な北海道《ほっかいどう》・知床《しれとこ》の海《うみ》に、冬《ふゆ》の間《あいだ》だけやって来《く》るトドの群《む》れ。知床東岸《しれとことうがん》の羅臼町《らうすちょう》や、礼文島《れぶんとう》のあたりではトドは慣《な》れ親《した》しんだ生《い》き物《もの》で、昔《むかし》から食《た》べる文化《ぶんか》があります。「血抜《ちぬ》き」と呼《よ》ばれる、独特《どくとく》な技術《ぎじゅつ》のおかげでくさみの少《すく》ないトド肉《にく》を食《た》べられ、大和煮《やまとに》や、ルイベ（半分凍《はんぶんこお》った刺《さ》し身《み》）などにされています。**トドは野性《やせい》みのある魚《さかな》のような味《あじ》**で、**牛肉《ぎゅうにく》のような味《あじ》**わいもあり、「クジラに近《ちか》い味《あじ》」と言《い》われます。

おいしく食《た》べる知恵《ちえ》がこれからの課題《かだい》？

トドは実《じつ》は、北海道《ほっかいどう》で海産物《かいさんぶつ》の仕事《しごと》をする人《ひと》たちの間《あいだ》では「海《うみ》のギャング」と呼《よ》ばれる困《こま》った生《い》き物《もの》。網《あみ》にかかった魚《さかな》を奪《うば》ったり、大事《だいじ》な漁《りょう》の道具《どうぐ》を壊《こわ》したりするからです。

そのため、世界的《せかいてき》に見《み》るとトドは数《かず》が減《へ》っていて保護《ほご》の対象《たいしょう》になっている国《くに》もあるのですが、日本《にほん》では漁業《ぎょぎょう》の被害《ひがい》を減《へ》らすために、決《き》められた頭数《とうすう》だけ駆除《くじょ》されているのです。

北海道《ほっかいどう》では駆除《くじょ》した**トドを有効利用《ゆうこうりよう》しよう**と、**食材《しょくざい》として広《ひろ》める**動《うご》きがあります。ですが、冬場《ふゆば》にしかやって来《こ》ず、日《ひ》によってどこに現《あらわ》れるかわからないというトドの性質《せいしつ》から、安定《あんてい》して捕獲《ほかく》し、生産《せいさん》する体制《たいせい》を取《と》れないのがネック。なかなか全国《ぜんこく》には広《ひろ》まらず、地元《じもと》の関係者《かんけいしゃ》は今《いま》も頭《あたま》を悩《なや》ませています。

料理例《りょうりれい》
トドのルイベ
肉《にく》のうまみと野性《やせい》みがちょうどいいバランス！

アザラシの中《なか》に海《うみ》鳥《どり》を詰《つ》めて、地《ち》中《ちゅう》に埋《う》めて作《つく》る料《りょう》理《り》はとてもクサイ

ないぞう
わくわく
キビヤックのつくり方
① アザラシのにくと
ないぞうをぬく
② うみどりを
つめる
③ 地《ち》中《ちゅう》にうめる
レア度《ど》

DATA データ

分類《ぶんるい》	食用《しょくよう》にする国《くに》・地域《ちいき》	代表的《だいひょうてき》な料理《りょうり》	味《あじ》のとくちょう
ほ乳類《にゅうるい》	アラスカやカナダ北部《ほくぶ》の北極圏《ほっきょくけん》、北海道《ほっかいどう》	キビヤック、大和煮《やまとに》	海《うみ》の獣《けもの》ならではの独特《どくとく》な野性《やせい》みがある

イヌイット等《など》の北方《ほっぽう》の先住民族《せんじゅうみんぞく》たちにとって生《い》きるために欠《か》かせない生《い》き物《もの》とされてきたアザラシ。肉《にく》、血《ち》、内臓《ないぞう》は食用《しょくよう》に、脂肪《しぼう》は燃料《ねんりょう》に、皮《かわ》は衣類《いるい》にされてきました。雪《ゆき》と氷《こおり》の世界《せかい》で、太陽《たいよう》の光《ひかり》があまり得《え》られず野菜《やさい》が育《そだ》たない北極《ほっきょく》圏《けん》に住《す》む人《ひと》たちは、アザラシの生肉《なまにく》や血《ち》でビタミン補給《ほきゅう》をしてきたのです。

日本《にほん》に住《す》むわたしたちにはなかなか想像《そうぞう》がつかないことですが、驚《おどろ》くべきなのはここから。**先住民《せんじゅうみん》たちが生《う》んだ「キビヤック」という料理《りょうり》は、世界中《せかいじゅう》の人《ひと》たちが度肝《どぎも》を抜《ぬ》く作《つく》り方《かた》**をするのです。

あまりにもクサイ 世界有数《せかいゆうすう》の衝撃料理《しょうげきりょうり》……!!

まず、肉《にく》と内臓《ないぞう》を取《と》り出《だ》したアザラシのお腹《なか》に、アパリアスという海鳥《うみどり》をめいっぱい詰《つ》め込《こ》み、地中《ちちゅう》に埋《う》めて数《すう》ヵ月《げつ》から数年間《すうねんかん》放《ほう》っておきます。そうして熟成《じゅくせい》されたアパリアスを取《と》り出《だ》し、**ドロドロになった内臓《ないぞう》を肛門《こうもん》から吸《す》い、肉《にく》も食《た》べる**というものです。栄養豊《えいようほう》富《ふ》で保存《ほぞん》のきく発酵食品《はっこうしょくひん》であり、日本《にほん》でいうと納豆《なっとう》のようなものですが、当然《とうぜん》、においも強烈《きょうれつ》で世界《せかい》トップクラス。

キビヤックを食《た》べるには現地《げんち》に行《い》くしかないでしょうけれど、アザラシ自体《じたい》はアイヌ民《みん》族《ぞく》の郷土料理《きょうどりょうり》としても食《た》べられ、カレーや、煮《に》こみの缶詰《かんづめ》などが販《はん》売《ばい》されています。

アザラシの大和煮《やまとに》

料理例《りょうりれい》

クセのある
アザラシの肉《にく》も
これは食《た》べやすい!

ピラニアはアマゾンでは簡単《かんたん》に釣《つ》れて、食《た》べられている川《かわ》魚《ざかな》

DATA データ

分類《ぶんるい》	食用《しょくよう》にする国《くに》・地域《ちいき》	代表的《だいひょうてき》な料理《りょうり》	味《あじ》のとくちょう
魚類《ぎょるい》	南米《なんべい》	ソテー、スープ、フライ	見《み》た目《め》とちがってやさしい味《あじ》

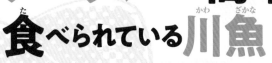

ピラニアとはアマゾン川《がわ》をはじめ、南《みなみ》アメリカの熱帯地方《ねったいちほう》の川《かわ》に生息《せいそく》する「セルラサルムス類《るい》」という肉食魚《にくしょくぎょ》の総称《そうしょう》。特定《とくてい》の魚《さかな》を指《さ》すわけではなく、**現地《げんち》の言葉《ことば》で「歯《は》のある魚《さかな》」という意味《いみ》**なのです。種《しゅ》によっては人《ひと》を襲《おそ》った事件《じけん》が起《お》きたこともある、とがった歯《は》を持《も》つ魚《さかな》です。

日本《にほん》では**ペットとして飼《か》われたり、水族館《すいぞくかん》で見《み》ることの多《おお》い熱帯魚《ねったいぎょ》**。〝こわい肉食《にくしょく》の魚《さかな》〟というイメージが強《つよ》いですが、ピラニアの多《おお》くは大《おお》きな生《い》き物《もの》を襲《おそ》うことはまずなく、小魚《こざかな》や川《かわ》に落《お》ちた小動物《しょうどうぶつ》を食《た》べています。

現地《げんち》の人《ひと》にとっては親《した》しみがあり、日常的《にちじょうてき》に食《た》べる魚《さかな》のひとつ。川《かわ》の水面《すいめん》を棒《ぼう》でたたくと寄《よ》ってくるので簡単《かんたん》に釣《つ》れ、家《いえ》に持《も》ち帰《かえ》ってご飯《はん》のおかずにしています。

日本《にほん》でも食《た》べられるチャンスあり⁉

味《あじ》はあっさりした上品《じょうひん》な白身魚《しろみざかな》。日《に》本人好《ほんじんごの》みの味《あじ》でフライや天《てん》ぷら、焼《や》いても食《た》べられ、現地《げんち》ではスープ料理《りょうり》も有名《ゆうめい》です。

日本《にほん》では過去《かこ》に、世界淡水魚園水族館《せかいたんすいぎょえんすいぞくかん》「アクア・トトぎふ」のレストランで期間限定《きかんげんてい》で「ピラニアの甘酢《あまず》あんかけ」が出《だ》されたことがあります。また、長崎《ながさき》市科学館《しかがくかん》では「ピラニアバーガー」が限定発売《げんていはつばい》されたこともあり、今後《こんご》もどこかで食《た》べられる機会《きかい》はあるかも⁉

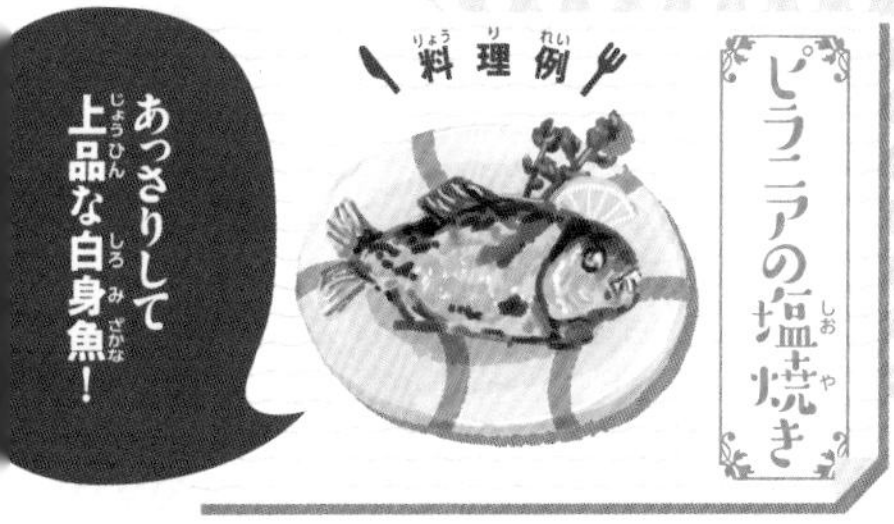

ウーパールーパーはメキシコでは貴重《きちょう》な生《い》き物《もの》だが、日本《にほん》では食《た》べられる

DATA データ

分類《ぶんるい》	食用《しょくよう》にする国《くに》・地域《ちいき》	代表的《だいひょうてき》な料理《りょうり》	味《あじ》のとくちょう
両生類《りょうせいるい》	日本《にほん》	から揚《あ》げ	白身魚《しろみざかな》のような 上品《じょうひん》な味《あじ》わい

何《なん》とも不思議《ふしぎ》な姿《すがた》をしている、ウーパールーパー。つぶらな瞳《ひとみ》と顔《かお》の両側《りょうがわ》のヒラヒラ、薄《うす》いピンクの体《からだ》が特徴《とくちょう》の生《い》き物《もの》。ウーパールーパーという名前《なまえ》は外国語《がいこくご》のように思《おも》えますが、日《に》本以外《ほんいがい》では通《つう》じません。というのも、これは1980年代《ねんだい》に日本《にほん》で奇妙《きみょう》な生《い》き物《もの》がブームとなり、その時《とき》につけられた名前《なまえ》。本当《ほんとう》の名前《なまえ》は「メキシコサンショウウオ」。つまり、サンショウウオの仲間《なかま》なのです。

本来《ほんらい》の生息地《せいそくち》であるメキシコでは、環境《かんきょう》の変《へん》化《か》などで数《かず》が非常《ひじょう》に少《すく》なくなってしまい、今《いま》では保護《ほご》されている生《い》き物《もの》です。

ただ、日本《にほん》では過去《かこ》に大《だい》ブームになったことから、ペット用《よう》として数多《かずおお》く養殖《ようしょく》されました。その後《ご》、**ペットとしてだけではなく、食《しょく》用《よう》としても養殖《ようしょく》されるようになった**のです。

見《み》た目《め》は強烈《きょうれつ》だけど やわらかく上品《じょうひん》な味《あじ》

ウーパールーパーが食《た》べられるのは、主《おも》に変《か》わった食《た》べ物《もの》を出《だ》すレストランなどです。から揚《あ》げにする場合《ばあい》が多《おお》いのですが、何《なに》しろ見《み》た目《め》のインパクトがすごいので、さすがに食《た》べにくいという人《ひと》も少《すく》なくありません。ただし、**味《あじ》は上品《じょうひん》で食《た》べやすく**、目《め》をつぶれば白身《しろみ》魚《ざかな》とほとんど変《か》わりませんが、**ほのかに川《かわ》魚《ざかな》のような味《あじ》**もするのが特徴《とくちょう》です。

料《りょう》理《り》例《れい》
ウーパールーパーの素揚《すあ》げ
ししゃものような食感《しょっかん》と味《あじ》わい!

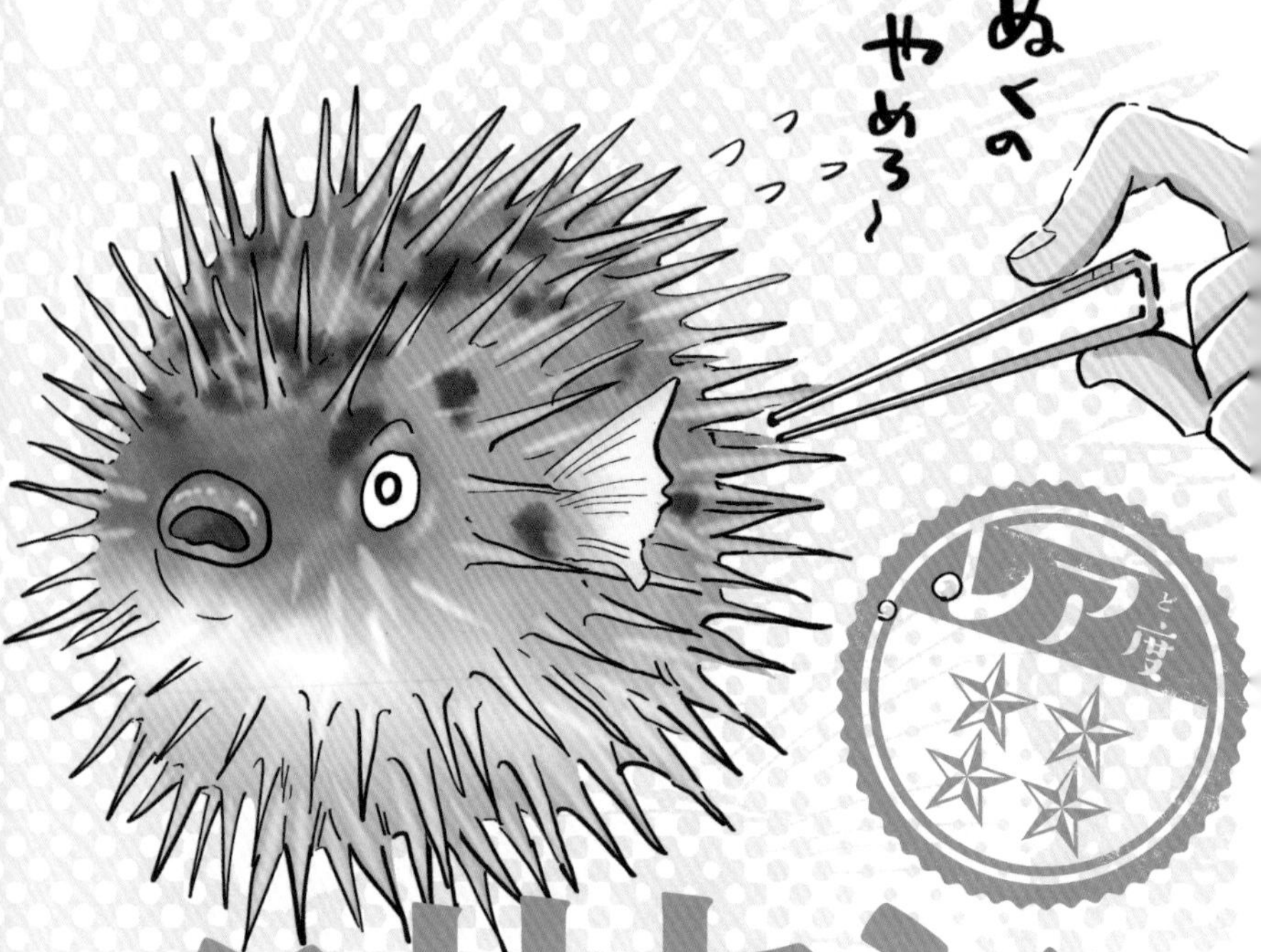

ハリセンボンはハリを抜《ぬ》いて食《た》べるとおいしい

DATA データ

分類《ぶんるい》	食用《しょくよう》にする国《くに》・地域《ちいき》	代表的《だいひょうてき》な料理《りょうり》	味《あじ》のとくちょう
魚類《ぎょるい》	沖縄県《おきなわけん》、台湾《たいわん》	アバサー汁《じる》（みそ汁《しる》）、から揚《あ》げ	見《み》た目《め》とちがってやさしい味《あじ》

怒《おこ》ると全身《ぜんしん》の針《はり》を逆立《さかだ》ててプックリ膨《ふく》らむ姿《すがた》が愛《あい》らしく、そのままハク製《せい》の土産物《みやげもの》にされたりするハリセンボン。処理《しょり》が大変《たいへん》そうな魚《さかな》をわざわざ食《た》べなくても……と思《おも》うかもしれませんが、**沖縄県《おきなわけん》では「アバサー」と呼《よ》ばれるかなりメジャーな食用魚《しょくようぎょ》**として、市場《しじょう》やスーパー等《など》に出回《でまわ》っています。

実《じつ》はハリセンボンはフグの仲間《なかま》で、かつ、無毒《むどく》とされています。つまり、安心《あんしん》して食《た》べられるフグ。味《あじ》もフグに近《ちか》くさっぱりした白身《しろみ》で食《た》べやすく、**ぶつ切《ぎ》りにした身《み》を肝《きも》で溶《と》いてみそ汁《しる》にする「アバサー汁《じる》」**が、**沖縄《おきなわ》で親《した》しまれている定番料理《ていばんりょうり》**です。他《ほか》にから揚《あ》げでもよく食《た》べられますが、身《み》が少《すく》ないので刺《さ》し身《み》にすることはあまりありません。

台湾《たいわん》ではきっちりハリをとって皮《かわ》も食《た》べる

なお、沖縄《おきなわ》以外《いがい》に台湾《たいわん》でも食《た》べられています。沖縄《おきなわ》では邪魔《じゃま》なハリを皮《かわ》ごとむいた姿《すがた》で売《う》られることが多《おお》いのですが、台湾《たいわん》ではこの皮《かわ》も使《つか》って湯引《ゆび》きにします。フグ皮《かわ》の湯引《ゆび》きと同《おな》じように、プルプルの食感《しょっかん》を楽《たの》しめるのです。

ハリセンボンの皮《かわ》についているハリは350本《ぼん》ほど。これをいちいち抜《ぬ》いて調理《ちょうり》するのは、なんとも根気《こんき》のいる仕事《しごと》です。そこまでしてでも食《た》べたい魚《さかな》ということですね。

カメノテは食《た》べるときに汁《しる》が飛《と》び出《だ》しがち

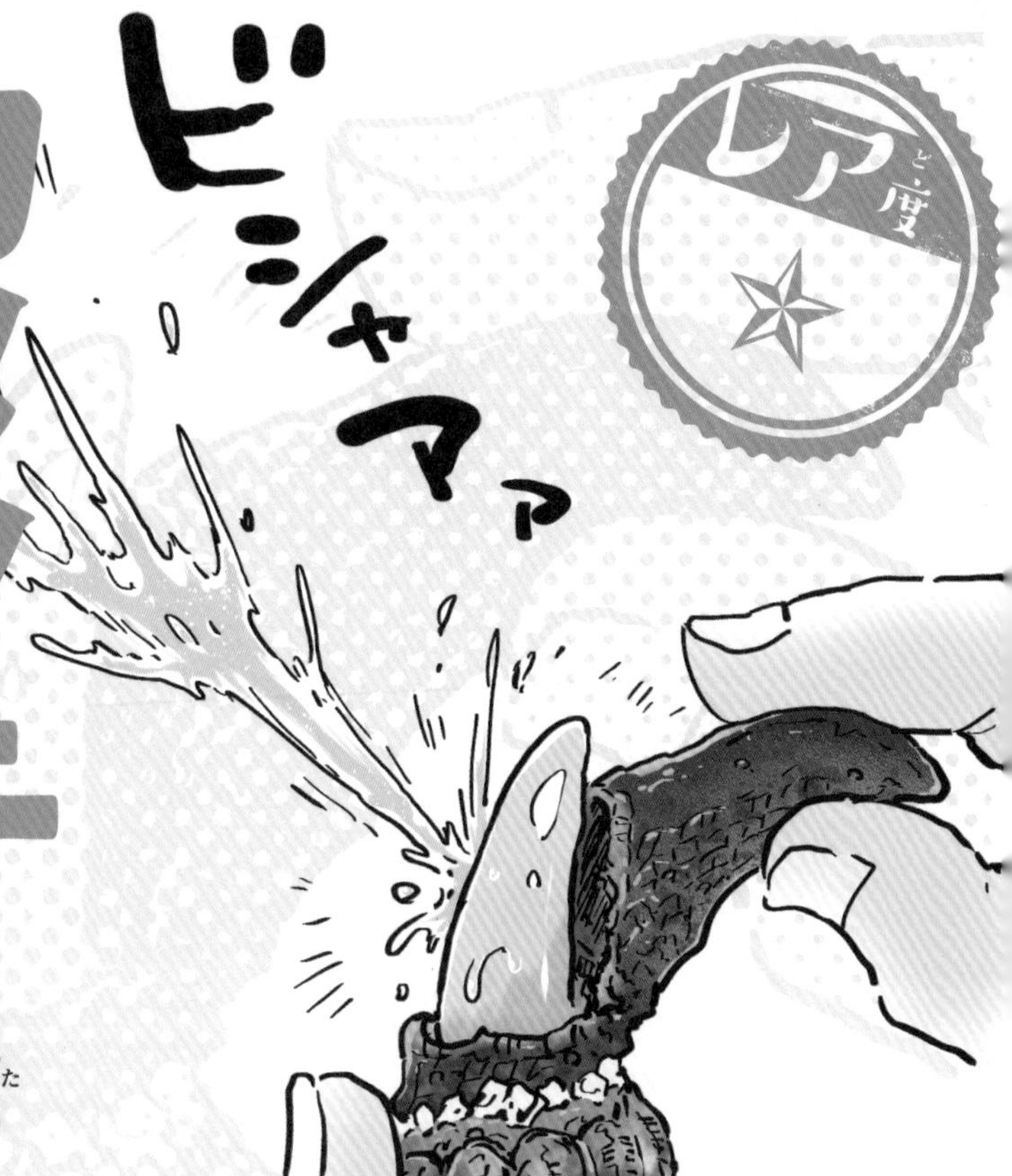

DATA データ

分類《ぶんるい》	食用《しょくよう》にする国《くに》・地域《ちいき》	代表的《だいひょうてき》な料理《りょうり》	味《あじ》のとくちょう
甲殻類《こうかくるい》	日本《にほん》、スペイン、ポルトガル	塩《しお》ゆで、みそ汁《しる》	汁《しる》のうまみがバツグン

「カメノテ」という変《か》わった名前《なまえ》の由来《ゆらい》は、ひと目《め》でわかります。ウロコ状《じょう》の皮《かわ》に、するどいツメがついたように見《み》え、亀《かめ》の手《て》にそっくり。これがいくつも集《あつ》まって、海岸《かいがん》の岩《いわ》の割《わ》れ目《め》にびっしり生《は》えています。

かたいカラを持《も》つので、**よく貝《かい》の仲間《なかま》に間違《まちが》えられますが、実《じつ》はエビやカニと同《おな》じ甲殻類《こうかくるい》の生《い》き物《もの》**。ただし、一度《いちど》岩《いわ》にくっつくと動《うご》けません。日本《にほん》では、少《すこ》し大《おお》きな市場《いちば》に行《い》けば見《み》つけることができます。また、スペインでは、「ペルセベス」と呼《よ》ばれる高級《こうきゅう》珍味《ちんみ》です。

うまみのつまった汁《しる》をこぼさないように！

見《み》た目《め》はけっして食欲《しょくよく》をそそられないカメノテですが、知《し》る人《ひと》ぞ知《し》る人気《にんき》の食材《しょくざい》。**塩《しお》ゆで**すると**磯《いそ》の香《かお》りがふわりとただよい、とてもいいダシが出《で》る**のです。ツメの部分《ぶぶん》を持《も》ちながら皮《かわ》をむくと、プルンとしたピンク色《いろ》の筋肉《きんにく》が現《あらわ》れます。これが食《た》べられる身《み》の部分《ぶぶん》。食《た》べるところは少《すく》ないですが、**貝《かい》のような食感《しょっかん》**があります。

ただし、皮《かわ》をむくときは慎重《しんちょう》に！中身《なかみ》の汁《しる》がピューッとこぼれ出《で》ることがありますが、**うまみの凝縮《ぎょうしゅく》されたこの汁《しる》こそがおいしい**のです。こぼしてしまうともったいないので、汁《しる》ごと上手《じょうず》にほおばりましょう。

料理《りょう》例《れい》

カメノテのみそ汁《しる》

海鮮系《かいせんけい》の深《ふか》みのあるダシが味《あじ》わえる！

オオグソクムシは見《み》た目《め》を裏切《うらぎ》る、味《あじ》の良《よ》さ

レア度《ど》 ★★★

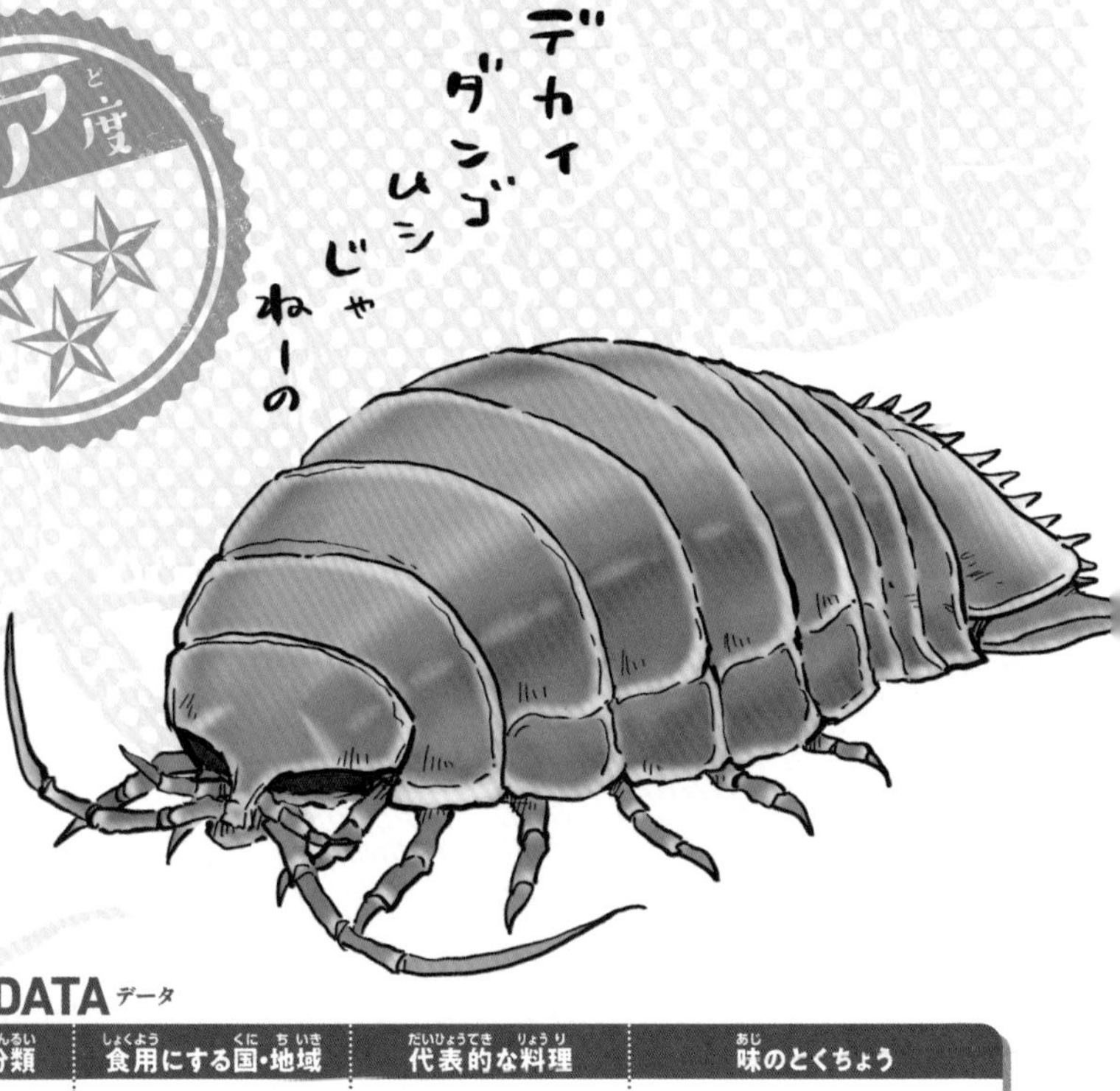

DATA データ

分類《ぶんるい》	食用《しょくよう》にする国《くに》・地域《ちいき》	代表的《だいひょうてき》な料理《りょうり》	味《あじ》のとくちょう
甲殻類《こうかくるい》	日本《にほん》	素焼《すや》き、素揚《すあ》げ	エビとカニの中間《ちゅうかん》の味《あじ》

見《み》た目《め》のとおり、ダンゴムシやフナムシの仲《なか》間《ま》であるオオグソクムシ。深海《しんかい》に住《す》む生《い》き物《もの》で、海《うみ》に沈《しず》む魚《さかな》の死体《したい》などを食《た》べているため「海《うみ》の掃除屋《そうじや》」などとも呼《よ》ばれます。

人間《にんげん》が海底《かいてい》に仕掛《しか》けた罠《わな》に入《はい》りこみ、本来《ほんらい》の獲物《えもの》を食《た》べてしまうので、昔《むかし》はたんなる迷惑《めいわく》な生《い》き物《もの》でした。ですが、その変《か》わった見《み》た目《め》で注目《ちゅうもく》をあび、最大《さいだい》50センチに達《たっ》するダイオウグソクムシが水族館《すいぞくかん》でブームになったため、人気《にんき》を集《あつ》めています。

食《た》べるところは少《すく》ないけど うまみがぎっしり

ダンゴムシの仲間《なかま》を食《た》べるなんて信《しん》じられないと思《おも》うでしょうが、オオグソクムシは広《ひろ》い意《い》味《み》では**エビやカニも含《ふく》まれる甲殻類《こうかくるい》の仲間《なかま》**です。ですので、身《み》にはうまみが詰《つ》まっています。**カラはとてもかたく食《た》べづら**いのですが、わずかについた**筋肉《きんにく》は、やはりエビやカニのような味《あじ》**がします。

食《た》べ方《かた》としては、焼《や》いたり、ゆでたり、素揚《すあ》げにするほか、せんべいにもなっています。

ここまで知《し》れば、「ダンゴムシっぽいから気《き》持《も》ち悪《わる》い」というより、「エビ、カニの仲間《なかま》だからおいしそう」というふうにオオグソクムシが見《み》えてきませんか!? 人《ひと》がおいしいと思《おも》うには、味《あじ》だけでなく気持《きも》ちも大事《だいじ》……ということを教《おし》えてくれる生《い》き物《もの》です。

オオグソクムシのチリソース

かめばかむほど エビ、カニ的《てき》な うまみが広《ひろ》がる

ババアと呼《よ》ばれるうまい深《しん》海《かい》魚《ぎょ》がいる

レア度《ど》 ☆☆

DATA データ

分類《ぶんるい》	食用《しょくよう》にする国《くに》・地域《ちいき》	代表的《だいひょうてき》な料理《りょうり》	味《あじ》のとくちょう
魚類《ぎょるい》	日本《にほん》	鍋《なべ》、から揚《あ》げ	クセがなく身《み》はあっさりしている

ババァを食《た》べるとは何《なん》とも物騒《ぶっそう》な話《はなし》に聞《き》こえますが、ご安心《あんしん》ください。ババァとは「タナカゲンゲ」という深海魚《しんかいぎょ》のことで、鳥取県《とっとりけん》では方《ほう》言《げん》で「ババァ」と呼《よ》ばれているのです。

なぜババァなのか？　正面《しょうめん》から見《み》た顔《かお》がお婆《ばあ》さんに見《み》えるからそう呼《よ》ばれるようになった……という実《じつ》にストレートな理由《りゆう》があり、鳥取《とっとり》県《けん》の公式《こうしき》サイト「食《しょく》のみやこ鳥取県《とっとりけん》」にもそう書《か》かれています。ババァではあんまりだということで、近年《きんねん》では「ババちゃん」と呼《よ》ばれるようにもなっていますが、鳥取県《とっとりけん》のスーパーでは**「ばばあ」や「ババァ」などと書《か》かれた切《き》り身《み》**が今《いま》でも普通《ふつう》に売《う》られています。

うまみと深《ふか》み十分《じゅうぶん》のいいダシが出《で》る！

ナマズのような見《み》た目《め》、ものによっては1メートルに達《たっ》する大《おお》きさ、ぬめり気《け》の強《つよ》さなど、とにかくインパクトの強《つよ》いタナカゲンゲですが、味《あじ》は抜群《ばつぐん》。**クセもなくあっさりとした白身《しろみ》ながら、うまみも十分《じゅうぶん》。また、とてもいいダシが出《で》るので特《とく》に鍋料理《なべりょうり》は絶品《ぜっぴん》**です。

鳥取《とっとり》だけでなく日本海側《にほんかいがわ》では広《ひろ》くとれ、北海《ほっかい》道《どう》では「ナンダ」と呼《よ》ばれるほか、「キツネダラ」と呼《よ》ぶ地域《ちいき》もあります。同《おな》じ魚《さかな》でも地《ち》域《いき》によって呼《よ》び名《な》がちがうのはよくあることで、方言《ほうげん》のひとつだと思《おも》えばよいでしょう。

料理例《りょうりれい》

ババちゃん鍋《なべ》

身《み》もおいしいが、ダシの出《で》た汁《しる》はもっとおいしい！

アメフラシの卵《たまご》は、見《み》た目《め》ラーメン

レア度《ど》 ★★★★

DATA データ

分類《ぶんるい》	食用《しょくよう》にする国《くに》・地域《ちいき》	代表的《だいひょうてき》な料理《りょうり》	味《あじ》のとくちょう
軟体動物《なんたいどうぶつ》	日本《にほん》	酢《す》の物《もの》、煮《に》つけ	卵《たまご》は見《み》た目《め》とちがってラーメンの味《あじ》はしない

浅瀬《あさせ》の海底《かいてい》をのそのそ動《うご》く、巨大《きょだい》なナメクジのような姿《すがた》。体内《たいない》に退化《たいか》した貝《かい》ガラを持《も》っているアメフラシは、**大《おお》きく分類《ぶんるい》すると貝《かい》やイカ・タコの仲間《なかま》**です。

同《おな》じような姿《すがた》をした生《い》き物《もの》にウミウシがいますが、ウミウシは肉食性《にくしょくせい》のものが多《おお》いのに対《たい》し、アメフラシは草食性《そうしょくせい》で海藻《かいそう》を食《た》べて生《い》きています。危険《きけん》を感《かん》じると紫《むらさき》の汁《しる》を出《だ》し、それが水中《すいちゅう》に広《ひろ》がって雨雲《あまぐも》のように見《み》えるので、「雨降《あめふ》らし」という名前《なまえ》がついたと考《かんが》えられています。

煮《に》つけは海藻《かいそう》のような味《あじ》

一般的《いっぱんてき》に食《た》べられることはありませんが、島《しま》根《ね》県《けん》や千葉県《ちばけん》大原《おおはら》では食《た》べる習慣《しゅうかん》があります。特《とく》に島根県隠岐島《しまねけんおきのしま》では、ゆでて酢《す》の物《もの》や煮《に》つけにされる身近《みぢか》な食《た》べ物《もの》。**コリコリした食感《しょっかん》に淡白《たんぱく》な味《あじ》わいで、海藻《かいそう》をたくさん食《た》べているせいか、煮《に》つけにすると海藻《かいそう》の味《あじ》**がします。

また、春頃《はるごろ》には磯《いそ》に黄色《きいろ》いラーメンのようなかたまりが転《ころ》がっているのが見《み》つかります。実《じつ》はこれはアメフラシの卵《たまご》。「ウミゾウメン」という名前《なまえ》で、昔《むかし》は食《た》べられることもあった**珍《ちん》味中《みちゅう》の珍味《ちんみ》ですが、特《とく》においしいというものではありません。**ちなみに、ウミゾウメンという同《おな》じ名《な》前《まえ》の食用《しょくよう》になる海藻《かいそう》がありますが、アメフラシの卵《たまご》とは別物《べつもの》です。

料理例《りょうりれい》

アメフラシの卵《たまご》

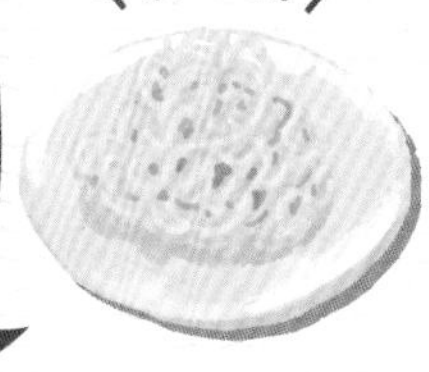

珍味《ちんみ》ではあるがあまりおいしいものではない

北海道《ほっかいどう》の一部《いちぶ》でごくまれに食《た》べられている、形《かたち》が奇妙《きみょう》な

スーパーレア! ユムシ

WANTED
ユムシ
まぼろしのヤツ!!
北の海!
情報求ム!!
レア度《ど》

DATA データ

分類《ぶんるい》	食用《しょくよう》にする国《くに》・地域《ちいき》	代表的《だいひょうてき》な料理《りょうり》	味《あじ》のとくちょう
環形動物《かんけいどうぶつ》	北海道《ほっかいどう》、韓国《かんこく》、中国《ちゅうごく》	刺《さ》し身《み》、塩焼《しおや》き	クセがなく貝《かい》やイカのような味《あじ》

ピンク色《いろ》のソーセージのような、太《ふと》ったミミズのような姿《すがた》をしたユムシ。普段《ふだん》は浅《あさ》い海底《かいてい》の砂地《すなじ》の中《なか》にいますが、地域《ちいき》によっては、海《うみ》が大《おお》きく荒《あ》れた翌日《よくじつ》などに海岸《かいがん》に打《う》ち上《あ》げられることがあります。2019年末《ねんまつ》にアメリカのカリフォルニア州《しゅう》で、海岸《かいがん》を埋《う》め尽《つ》くすほどのユムシが打《う》ち上《あ》げられ、ちょっとしたホラー映画《えいが》のような光景《こうけい》を生《う》み出《だ》していました。

ユムシはその異様《いよう》な姿形《すがたかたち》から、長《なが》い間《あいだ》どの分《ぶん》類群《るいぐん》にも当《あ》てはまらない生《い》き物《もの》と考《かんが》えられていました。ですが、最近《さいきん》の研究《けんきゅう》により、釣《つ》りエサで知《し》られるゴカイの仲間《なかま》だとわかったのです。ゴカイ同様《どうよう》にユムシも釣《つ》りエサに使《つか》われるのですが、**北海道石狩市浜益地区《ほっかいどういしかりしはますちく》では「ルッツ」と呼《よ》ばれ、年《ねん》に1～2度《ど》だけ海岸《かいがん》で拾《ひろ》える**海《うみ》の幸《さち》として食用《しょくよう》にされています。また、韓国《かんこく》や中国《ちゅうごく》でも普通《ふつう》に食《た》べられています。

見《み》た目《め》からは想像《そうぞう》のつかない上品《じょうひん》な味《あじ》！

味《あじ》はどうかといえば、コリコリして貝《かい》にそっくり。刺《さ》し身《み》でもよし、焼《や》くとホルモンのような食感《しょっかん》を楽《たの》しめます。**見《み》た目《め》さえ気《き》にしなければ、全《まった》くクセのない上品《じょうひん》な味《あじ》わい**なのです。

本当《ほんとう》に奇妙《きみょう》な形《かたち》をした生《い》き物《もの》ですが、日本《にほん》では似《に》たような見《み》た目《め》のナマコも食《た》べられているのですから、「食《た》べ物《もの》は見《み》た目《め》で判断《はんだん》してはいけない」ですね。

料理例《りょうりれい》

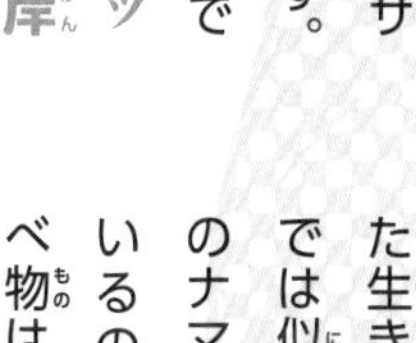

ユムシの刺《さ》し身《み》

貝《かい》のような味《あじ》で不思議《ふしぎ》な上品《じょうひん》さ！

クジラを食《た》べる文化《ぶんか》をめぐっては、しばしば問題《もんだい》になることがある

レア度《ど》
★★

DATA データ

分類《ぶんるい》	食用《しょくよう》にする国《くに》・地域《ちいき》	代表的《だいひょうてき》な料理《りょうり》	味《あじ》のとくちょう
ほ乳類《にゅうるい》	日本《にほん》、フィリピン、北欧《ほくおう》など	竜田揚《たつたあ》げ、刺《さ》し身《み》	赤身《あかみ》は牛肉《ぎゅうにく》のようなうまみがある

日本《にほん》の食《しょく》で、たびたび世《せ》界《かい》で話題《わだい》になるのがクジラ。人類《じんるい》がクジラを食《た》べてきた歴史《れきし》はとても古《ふる》く、ノルウェー、フランス、スペインでは9世紀《せいき》、日本《にほん》では12世紀《せいき》にはすでに漁《りょう》（捕《ほ》鯨《げい》）をしています。

日本《にほん》で動物《どうぶつ》の肉《にく》が禁止《きんし》された時代《じだい》には、クジラの肉《にく》が大活躍《だいかつやく》。昔《むかし》、クジラは魚《さかな》扱《あつか》いだったからです。江戸《えど》時代中期《じだいちゅうき》には庶民《しょみん》の食《た》べ物《もの》として出回《でまわ》り、『鯨肉調味《げいにくちょうみ》方《ほう》』という料理本《りょうりぼん》も登場《とうじょう》しました。

昭和《しょうわ》の時代《じだい》には南極近《なんきょくちか》くまで捕鯨船《ほげいせん》団《だん》を送《おく》り、クジラの竜田揚《たつたあ》げや、鯨《げい》カツをはじめ、全国《ぜんこく》でさまざまなクジラ料理《りょうり》が給食《きゅうしょく》に出《で》ていました。ですが、国《こく》際的《さいてき》な反対《はんたい》の声《こえ》もあり、商業捕鯨《しょうぎょうほげい》をやめた80年《ねん》代後半以降《だいこうはんいこう》、給食《きゅうしょく》からクジラのメニューは姿《すがた》を消《け》していきます。

その後《ご》、**捕鯨《ほげい》に関《かん》して海外《かいがい》の団体《だんたい》から激《はげ》しい抗議《こうぎ》や圧力《あつりょく》を受《う》けたり**、**ドキュメンタリー映画《えいが》になったり**と、**大《おお》きな社会問題《しゃかいもんだい》**として扱《あつか》われました。一《ひと》つの理由《りゆう》はクジラをとりすぎて絶滅《ぜつめつ》する恐《おそ》れがあること、もう一《ひと》つの理由《りゆう》は、クジラやイルカはとても賢《かしこ》い動物《どうぶつ》だから殺《ころ》すのはかわいそうだ、というものです。一方《いっぽう》、日本《にほん》は絶滅《ぜつめつ》の心配《しんぱい》のない種類《しゅるい》をとることを認《みと》めるよう働《はたら》きかけていました。

クジラと人間《にんげん》の問題《もんだい》はこれからも続《つづ》く

2019年《ねん》、日本《にほん》は31年《ねん》ぶりに商業捕鯨《しょうぎょうほげい》を再《さい》開《かい》しました。今後《こんご》、クジラ料理《りょうり》が各地《かくち》で再《ふたた》び広《ひろ》まるかもしれませんが、この問題《もんだい》は終《お》わったわけではありません。

長《なが》い間続《あいだつづ》いている捕鯨問題《ほげいもんだい》には複雑《ふくざつ》な背景《はいけい》があり、きちんと理解《りかい》するためには歴史《れきし》や事実《じじつ》を知《し》る必要《ひつよう》がありますが、食文化《しょくぶんか》は時《とき》として政治《せいじ》や国際問題《こくさいもんだい》に発展《はってん》することもあるのだと覚《おぼ》えておくことは、とても大事《だいじ》です。

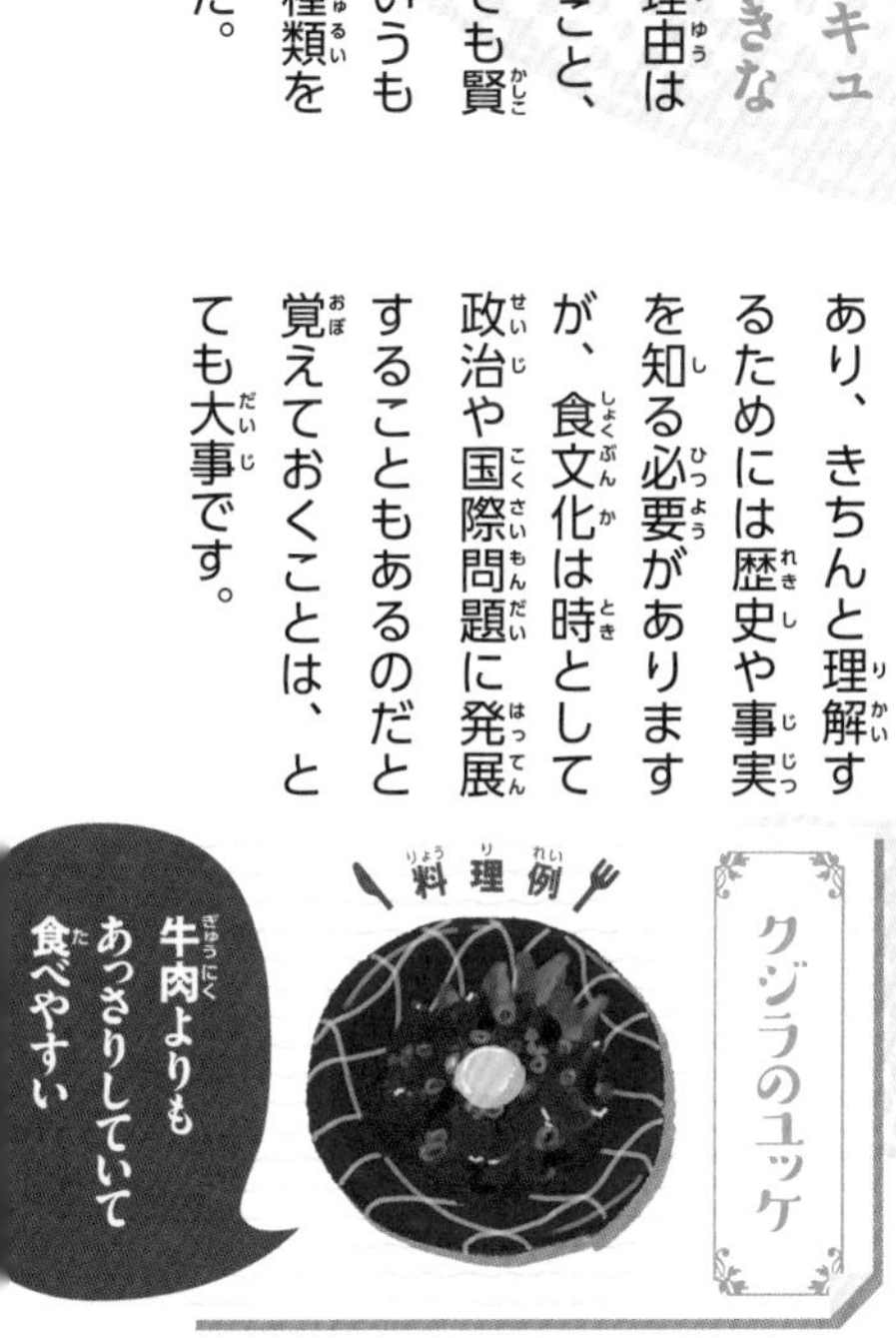
料理例《りょうりれい》
クジラのユッケ
牛肉《ぎゅうにく》よりもあっさりしていて食《た》べやすい

コラム2 ジビエの生食《せいしょく》はなぜ危険《きけん》？

肉《にく》も魚《さかな》と同《おな》じように「生《なま》」で食《た》べる料理《りょうり》があります。特《とく》に日本《にほん》は刺《さ》し身《み》や寿司《すし》を食《た》べなれているので、肉《にく》の刺《さ》し身《み》を出《だ》されても驚《おどろ》かずに食《た》べてしまいがちです。

でも基本的《きほんてき》には、肉《にく》を生《なま》で食《た》べるのは危険《きけん》だということを知《し》っておきましょう。なぜなら、寄生虫《きせいちゅう》や病気《びょうき》の原因《げんいん》となる菌《きん》がいるからです。

寄生虫《きせいちゅう》とは、ヒトや動物《どうぶつ》の体内《たいない》、もしくは表面《ひょうめん》にとりついて、栄養《えいよう》を奪《うば》う生《い》き物《もの》のこと。目《め》には見《み》えないほど小《ちい》さな原虫《げんちゅう》と、指《ゆび》でつまめるサイズの蠕虫《ぜんちゅう》があります。

例《たと》えば豚《ぶた》や猪《いのしし》には、有鉤条虫《ゆうこうじょうちゅう》（サナダムシの一種《いっしゅ》）という寄生虫《きせいちゅう》がいます。眼球《がんきゅう》に入《はい》れば失明《しつめい》し、脳《のう》に入《はい》ると、てんかんの原因《げんいん》になるという恐《おそ》ろしいものです。

牛肉《ぎゅうにく》の場合《ばあい》はO《オー》157などの危険《きけん》な大腸菌《だいちょうきん》に汚染《おせん》されていることがあります。牛《うし》には無害《むがい》ですが、ヒトに感染《かんせん》すると食中毒《しょくちゅうどく》の原因《げんいん》となり、子《こ》どもや体《からだ》の弱《よわ》い人《ひと》だと命《いのち》に関《かか》わることもあるのです。

鶏肉《とりにく》はカンピロバクターという細《さい》菌《きん》が、怖《こわ》い病気《びょうき》の原因《げんいん》になります。これらは加熱《かねつ》すると死滅《しめつ》するのですが、生食《せいしょく》に使《つか》う肉《にく》は解体後《かいたいご》、新鮮《しんせん》なうちに食《た》べないとおいしくありません。生《なま》ならではの味《あじ》を求《もと》めると、感《かん》染《せん》リスクが上《あ》がるのです。

もちろん、肉《にく》の中《なか》にも例外《れいがい》はあります。馬肉《ばにく》などは生《なま》で食《た》べられるように飼育《しいく》や流通《りゅうつう》を徹底《てってい》しているので、比較的安全《ひかくてきあんぜん》だと言《い》えるでしょう。

コラム 2

ジビエの生食《せいしょく》はなぜ危険《きけん》?

野生動物《やせいどうぶつ》の肉《にく》は家畜《かちく》の肉《にく》より危険《きけん》

この本《ほん》では、たくさんの野生《やせい》の肉《にく》を紹介《しょうかい》しています。最近《さいきん》は比較的手《ひかくてきて》軽《がる》に野生《やせい》の肉《にく》が手《て》に入《はい》るようになり、生《なま》で出《だ》しているお店《みせ》もあります。しかし、衛生管理《えいせいかんり》に気《き》をつかっている家畜《かちく》の肉《にく》でも危険《きけん》なのですから、野生動物《やせいどうぶつ》の肉《にく》を生《なま》で食《た》べるのは、さらに危険《きけん》なことだと考《かんが》えるべきです。

「生食《せいしょく》が法律《ほうりつ》で禁止《きんし》されているかいないか」ということだけでなく、「生《なま》で食《た》べることを想定《そうてい》していない食品《しょくひん》」であると多《おお》くの人《ひと》が知《し》ることが大切《たいせつ》です。厚生労働省《こうせいろうどうしょう》も「ジビエはよく火《ひ》を通《とお》して食《た》べるように」と、注意《ちゅうい》を出《だ》しています。

さらに怖《こわ》いのは他《ほか》の人《ひと》にもうつること

生肉《なまにく》が危険《きけん》なのは、病気《びょうき》になることだけではありません。自分《じぶん》が感染《かんせん》すると、周《まわ》りの人《ひと》にうつしてしまうことです。例《たと》えば、お父《とう》さんがレストランで生肉《なまにく》を食《た》べ、お腹《なか》が軽《かる》く下《くだ》っていたけど子《こ》どもと一緒《いっしょ》にお風《ふ》呂《ろ》に入《はい》った。そこから子《こ》どももO《オー》157に感染《かんせん》してしまい、重症《じゅうしょう》になった……と考《かんが》えられる経路《けいろ》ケースもあります。だから、いくら自分《じぶん》が食《た》べたくても、自分《じぶん》だけの問題《もんだい》にとどまりません。

では、魚《さかな》はどうして刺《さ》し身《み》(生《なま》)で食《た》べられるのでしょう? 魚《さかな》にも食中毒《しょくちゅうどく》や寄生虫症《きせいちゅうしょう》の危険《きけん》はありますが(有名《ゆうめい》なのは、加熱用《かねつよう》として売《う》られているシロサケにアニサキスという寄生虫《きせいちゅう》がいること)、命《いのち》にかかわるような食中毒《しょくちゅうどく》のリスクは低《ひく》いと考《かんが》えられているからです。食中毒《しょくちゅうどく》などに気《き》をつけて衛生的《えいせいてき》に調理《ちょうり》すれば、比較的安心《ひかくてきあんしん》して食《た》べることができるのです。

食《た》べることを楽《たの》しむには、生食《せいしょく》の危険性《きけんせい》をはじめとした「リスク」について知《し》ることが大切《たいせつ》です。目《め》の前《まえ》の食《た》べ物《もの》がどのように作《つく》られたのか、十分《じゅうぶん》な知識《ちしき》や経験《けいけん》がある人《ひと》が作《つく》ったものなのかを考《かんが》えることにも目《め》を向《む》けてみましょう。

協力《きょうりょく》・成田崇信《なりたたかのぶ》
(管理栄養士《かんりえいようし》、健康科学修士《けんこうかがくしゅうし》)

データの見方《みかた》

食用《しょくよう》にする国《くに》・地域《ちいき》…その生《い》き物《もの》を食《た》べる文化《ぶんか》のある主《おも》な国《くに》や有名《ゆうめい》な地域《ちいき》をのせています
代表的《だいひょうてき》な料理《りょうり》…国《くに》や地域《ちいき》によって食《た》べ方《かた》がちがう場合《ばあい》がありますが、
知《し》られている主《おも》な料理《りょうり》をのせています
レア度《ど》…日本《にほん》を基準《きじゅん》に食材《しょくざい》としての手《て》に入《はい》りやすさ、食《た》べられる機会《きかい》（地域《ちいき》や店《みせ》）の多《おお》さ、
生物《せいぶつ》の個体数《こたいすう》などをもとに本書《ほんしょ》で独自《どくじ》に判断《はんだん》しています

※「甲殻類《こうかくるい》アレルギー」（エビやカニ等《など》を食《た》べることで起《お》こるアレルギー症状《しょうじょう》）がある人《ひと》は、昆虫《こんちゅう》を食《た》べないようにしてください。昆虫《こんちゅう》は甲殻類《こうかくるい》と近《ちか》い種類《しゅるい》の生《い》き物《もの》であるため、アレルギーを起《お》こす可能性《かのうせい》があります。

なかまたち

第《だい》3章《しょう》

じつは食《た》べられる虫《むし》の

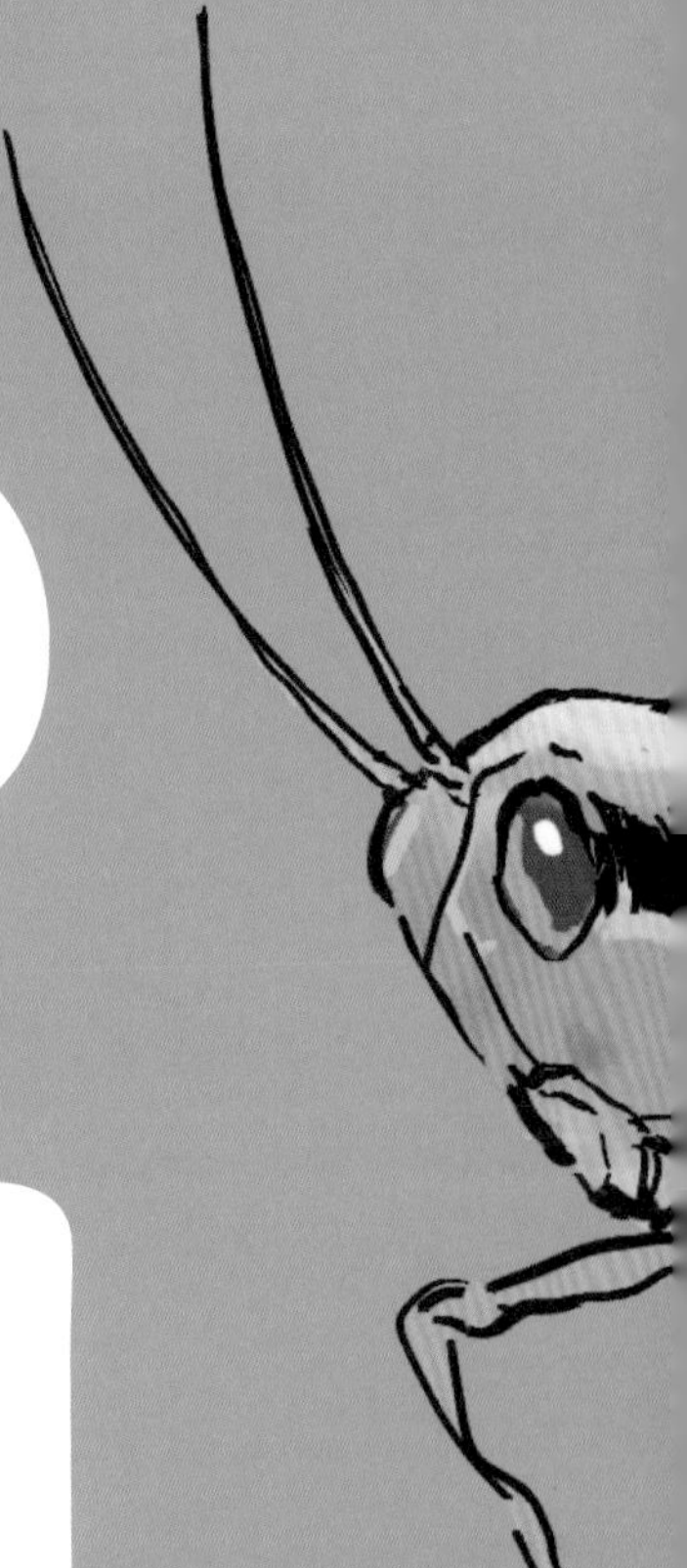

セミはあのファーブルもとって食《た》べていた

DATA データ

分類《ぶんるい》	食用《しょくよう》にする国《くに》・地域《ちいき》	代表的《だいひょうてき》な料理《りょうり》	味《あじ》のとくちょう
昆虫類《こんちゅうるい》	中国《ちゅうごく》、ラオス、タイ	素揚《すあ》げ	幼虫《ようちゅう》＝ナッツに似《に》たコク 成虫《せいちゅう》＝パリパリしてエビのよう

夏《なつ》になるとにぎやかに鳴《な》きだすセミは、一部《いちぶ》で「とてもおいしい」と言《い》われています。古《ふる》い時代《じだい》の中国《ちゅうごく》では身分《みぶん》の高《たか》い人《ひと》だけが食《た》べられる特別《とくべつ》な食《た》べ物《もの》でした。最近《さいきん》ではセミが食《た》べられるレストランが中国《ちゅうごく》で大流行《だいりゅうこう》したというニュースもありました。

フランスの有名《ゆうめい》な昆虫学者《こんちゅうがくしゃ》ファーブルがセミを食《た》べた話《はなし》も有名《ゆうめい》ですが、こちらは残念《ざんねん》なことに「かたくてパサパサ」だったよう。でも、それは料理《りょうり》の仕方《しかた》や食《た》べたセミの種類《しゅるい》が原因《げんいん》なのでは？　なんて考《かん》えられています。

幼虫《ようちゅう》はナッツ 成虫《せいちゅう》はエビのよう！

セミの基本的《きほんてき》な料理法《りょうりほう》は、まるごと油《あぶら》でカラリと揚《あ》げる方法《ほうほう》。お腹《なか》が空洞《くうどう》になっている**成虫《せいちゅう》はパリパリッとした軽《かる》い食感《しょっかん》になり、エビに近《ちか》い味《あじ》わい**です。**幼虫《ようちゅう》はむっちりと身《み》がつまり、ナッツを思《おも》わせる風味《ふうみ》**です。

セミにもいろいろ種類《しゅるい》がありますが、**クセがなく食《た》べやすいのはアブラゼミとミンミンゼミ**。日本《にほん》では虫料理《むしりょうり》を扱《あつか》うレストランで食《た》べられることもありますが、そうはいってもまだまだ珍《めずら》しい食材《しょくざい》です。昆虫採集《こんちゅうさいしゅう》のついでに料理《りょうり》して食《た》べるのも手《て》ですが、おうちの人《ひと》がびっくりするかもしれませんね。

料理例《りょうりれい》

セミの串揚《くしあ》げ

香《こう》ばしくてうまみが濃縮《のうしゅく》！

イナゴは
平安《へいあん》時《じ》代《だい》から食《た》べられている昆《こん》虫《ちゅう》食《しょく》界《かい》の大《おお》御《ご》所《しょ》

レア度《ど》 ★

DATA データ

分類《ぶんるい》	食用《しょくよう》にする国《くに》・地域《ちいき》	代表的《だいひょうてき》な料理《りょうり》	味《あじ》のとくちょう
昆虫類《こんちゅうるい》	日本《にほん》、中国《ちゅうごく》、東南《とうなん》アジア	佃煮《つくだに》	パリパリして小《こ》エビのよう

アマガエルやドジョウなど、田《た》んぼには生《い》き物《もの》がたくさん住《す》んでいます。バッタの仲間《なかま》であるイナゴもそのひとつ。バッタといえば力強《ちからづよ》くジャンプするトノサマバッタが男《おとこ》の子《こ》には人気《にんき》ですが、イナゴはその半分《はんぶん》くらいのサイズ。特《とく》にイネ科《か》の植物《しょくぶつ》が大好物《だいこうぶつ》なので、田《た》んぼを荒《あ》らす害虫《がいちゅう》です。ですが、それと同時《どうじ》に**田《た》んぼでとれるたんぱく質《しつ》、つまり栄養源《えいようげん》**でもあります。

小学校《しょうがっこう》の行事《ぎょうじ》でイナゴとりも行《おこな》われる

日本《にほん》で最初《さいしょ》の薬物辞典《やくぶつじてん》とされる『本草和名《ほんぞうわみょう》』には、日本人《にほんじん》は平安時代《へいあんじだい》にすでにイナゴを食《た》べていたことがうかがえる記述《きじゅつ》があります。昔《むかし》から田《た》んぼのある土地《とち》では、イナゴが食《た》べられてきたのです。稲《いね》を刈《か》りとったあとにとって食《た》べるので、「秋《あき》の味《あじ》」と懐《なつ》かしむお年寄《としよ》りの方《かた》もいるはずです。地域《ちいき》によっては、イナゴとりが小学校《しょうがっこう》の行事《ぎょうじ》で行《おこな》われていることもあります。イナゴといえば佃煮《つくだに》ですが、長野県《ながのけん》を中心《ちゅうしん》に今《いま》でも売《う》られています。

味《あじ》はパリッと香《こう》ばしくて、カラつきの小《こ》エビとそっくり。熱《ねつ》を加《くわ》えると赤《あか》くなる姿《すがた》も、これまたそっくり。おいしく食《た》べるコツは、捕《つか》まえてから半日《はんにち》から1日《にち》ほどエサを与《あた》えずにおいてお腹《なか》のフンを出《だ》し切《き》る「エサ止《ど》め」をすることです。

料理例《りょうりれい》
バッタソフト
長野県《ながのけん》の諏訪湖《すわこ》で売《う》られている珍《ちん》グルメ！

コオロギはチョコやふりかけまである注《ちゅう》目《もく》の昆《こん》虫《ちゅう》

レア度《ど》

いま キテル!
こおろぎ
ふりかけ
これぞ秋のうまさ
コオロギ チョコ
※イメージです

DATA データ

分類《ぶんるい》	食用《しょくよう》にする国《くに》・地域《ちいき》	代表的《だいひょうてき》な料理《りょうり》	味《あじ》のとくちょう
昆虫類《こんちゅうるい》	東南《とうなん》アジア	いため物《もの》、お菓子《かし》	カラはやわらかくて香《こう》ばしい

世界中《せかいじゅう》で増《ふ》えているコオロギ食品《しょくひん》！

鳴《な》く虫《むし》として、よく知《し》られるコオロギ。秋《あき》になると、草《くさ》むらのかげから「コロコロ・リーリー」という鳴《な》き声《ごえ》を聞《き》かせてくれます。**コオロギは小型《こがた》の種類《しゅるい》から大型《おおがた》のものまで、アジアの国《くに》を中心《ちゅうしん》に食《た》べられてきましたが**、なんといっても人気《にんき》があるのはタイ。タイではたくさんの農家《のうか》が、食《た》べるためのコオロギを育《そだ》てています。

それは畑《はたけ》を作《つく》ったりニワトリを育《そだ》てるちょっとした合間《あいま》に、少《すく》ない手間《てま》でたくさん増《ふ》やすことができるからです。現地《げんち》では、さわやかな香《かお》りのするコブミカンの葉《は》とコオロギをいためたものが、ご飯《はん》のおかずです。

コオロギの味《あじ》は虫《むし》の中《なか》でも特《とく》にクセが少《すく》なく、風味《ふうみ》は焼《や》いたエビのよう。体《からだ》をおおう外皮《がいひ》はやわらかめ。そんな食《た》べやすく増《ふ》やしやすいという長所《ちょうしょ》に今《いま》、世界中《せかいじゅう》が注目《ちゅうもく》！ **虫《むし》を食《た》べる文化《ぶんか》がなくなっていた国《くに》も、工場《こうじょう》でコオロギを生産《せいさん》し、つぎつぎにコオロギ食品《しょくひん》を作《つく》りはじめているのです。**コオロギチョコや、コオロギをパウダーにしてねりこんだパスタ&うどん、コオロギふりかけなど新《あたら》しい食《た》べ方《かた》が出《で》てきました。いずれ当《あ》たり前《まえ》のように、コオロギ入《い》りのお菓子《かし》をおやつで食《た》べている時代《じだい》が来《く》るかも？

料理例《りょうりれい》

コオロギスナック

ハワイなどで売《う》られている元祖《がんそ》コオロギスナック！

「ハチに注意《ちゅうい》」の季節《きせつ》ほどおいしくなるハチノコ

レア度《ど》 ★★

バブー
もうそんなシーズンか…
ハチ注意!

DATA データ

分類《ぶんるい》	食用《しょくよう》にする国《くに》・地域《ちいき》	代表的《だいひょうてき》な料理《りょうり》	味《あじ》のとくちょう
昆虫類《こんちゅうるい》	日本《にほん》、中国《ちゅうごく》、東南《とうなん》アジア	大和煮《やまとに》	こってりジューシーでウナギのよう

秋《あき》になると「スズメバチに注意《ちゅうい》」というお知《し》らせを、いろいろな所《ところ》で聞《き》くようになります。それは大切《たいせつ》な「次《つぎ》の女王《じょおう》バチ」を育《そだ》てる時期《じき》なので、巣《す》を守《まも》ろうと攻撃的《こうげきてき》になるからです。そして、食《た》べごろになるのも同《おな》じ時期《じき》。

日本《にほん》でも世界《せかい》でも、昔《むかし》からハチは大《たい》切《せつ》なたんぱく質《しつ》として食《た》べられてきました。特《とく》に栄養価《えいようか》が高《たか》く、大《おお》きな巣《す》にはぎっしり幼虫《ようちゅう》がつまっていますから、刺《さ》される危険《きけん》があってもとる価値《かち》があるのです。

アツアツご飯《はん》がすすむ ギュッと濃《こ》いハチの味《あじ》

たくさんの種類《しゅるい》がいるハチですが、食用《しょくよう》に向《む》いているのは大《おお》きな巣《す》を作《つく》るスズメバチの仲《なか》間《ま》。日本《にほん》では「ジバチ」「スガレ」「ヘボ」という呼《よ》び名《な》もあります。砂糖《さとう》やしょうゆで煮詰《につ》めた「大和煮《やまとに》」として食《た》べられてきました。これは今《いま》でも、缶詰《かんづめ》が売《う》られています。

「ハチノコはウナギの味《あじ》がする」と言《い》われます。昆虫料理研究家《こんちゅうりょうりけんきゅうか》の内山昭一《うちやましょういち》さんは著《ちょ》書《しょ》『昆虫食入門《こんちゅうしょくにゅうもん》』（平凡社《へいぼんしゃ》）の中《なか》で、味覚《みかく》センサーで実際《じっさい》にハチノコとウナギを計測《けいそく》して比《くら》べたデータを示《しめ》し、それが本当《ほんとう》であることを証明《しょうめい》しています。

　ちなみに、ミツバチが花《はな》のみつを集《あつ》めて作《つく》るハチミツは口《くち》にしたことがある人《ひと》も多《おお》いと思《おも》いますが、こちらも広《ひろ》い意味《いみ》で「ハチ食品《しょくひん》の仲間《なかま》」といえます。

ハチノコご飯《はん》

料《りょう》理《り》例《れい》

クリーミーかつ
ふんわり濃厚《のうこう》で
ウナギ味《あじ》！

「宇《う》宙《ちゅう》食《しょく》」として よみがえるカイコ

レア度《ど》 ☆☆

DATA データ

分類《ぶんるい》	食用《しょくよう》にする国《くに》・地域《ちいき》	代表的《だいひょうてき》な料理《りょうり》	味《あじ》のとくちょう
昆虫類《こんちゅうるい》	日本《にほん》、韓国《かんこく》	佃煮《つくだに》、水煮《みずに》（韓国《かんこく》）	新鮮《しんせん》なさなぎは豆系《まめけい》の味《あじ》わい

カイコは繭《まゆ》を作《つく》るために、糸《いと》を吐《は》く虫《むし》。絹《きぬ》（シルク）の布《ぬの》を作《つく》るために人《ひと》によって改良《かいりょう》された生《い》き物《もの》で、自然《しぜん》の中《なか》では生《い》きられません。カイコを育《そだ》てることを「ようさん」と言《い》います。**繭《まゆ》を煮《に》て糸《いと》をとると、さなぎが残《のこ》ります。ようさんを行《おこな》う中国《ちゅうごく》や韓国《かんこく》、インドネシアなどでは、それらを食《た》べる**文《ぶん》化《か》があり、昔《むかし》の日本《にほん》もそうでした。

しかし、今《いま》は生《い》き物《もの》からではなく石油《せきゆ》から人《じん》工的《こうてき》に布《ぬの》を作《つく》れるようになったので、昔《むかし》ほど絹《きぬ》が必要《ひつよう》とされなくなり、カイコを食《た》べる機会《きかい》もほぼなくなりました。

火星《かせい》で農業《のうぎょう》をするとき食《た》べるべきはカイコ！

ところが時代《じだい》が変《か》わり、カイコは「宇宙食《うちゅうしょく》」として、再《ふたた》び注目《ちゅうもく》を集《あつ》めます。宇宙《うちゅう》や星《ほし》を研《けん》究《きゅう》するＪＡＸＡ《ジャクサ》が、**「火星《かせい》で農業《のうぎょう》をした場《ば》合《あい》、何《なに》を食《た》べればいい？」と未来《みらい》について考《かんが》えた結果《けっか》が、カイコ**だったのです。カイコはほかの生《い》き物《もの》よりも少《すく》ないエサで早《はや》く育《そだ》ち、栄養《えいよう》もたっぷり。卵《たまご》はとても小《ちい》さく、ロケットで運《はこ》ぶのも簡単《かんたん》だからです。

昔《むかし》食《た》べられていたカイコは煮《に》て糸《いと》をとったあとの「出《で》がらし」だったので、くさくてまずかったよう。でもこれから、食《た》べることを目《もく》的《てき》にした研究《けんきゅう》がすすめば、昔《むかし》よりずっとおいしく食《た》べられるようになるでしょう。

料《りょう》理《り》例《れい》

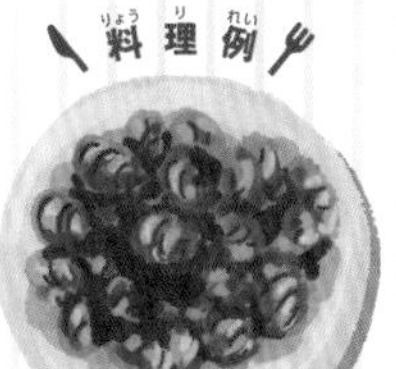

カイコの佃煮《つくだに》

新鮮《しんせん》なものは豆《まめ》のようなやさしい風味《ふうみ》

アリがすっぱいのには意《い》味《み》がある

DATA データ

分類《ぶんるい》	食用《しょくよう》にする国《くに》・地域《ちいき》	代表的《だいひょうてき》な料理《りょうり》	味《あじ》のとくちょう
昆虫類《こんちゅうるい》	タイ、東南《とうなん》アジア	スープ、卵焼《たまごや》き、いため物《もの》	ギ酸《さん》を持《も》つ種類《しゅるい》はすっぱい

みんなで力《ちから》をあわせて大《おお》きな生《い》き物《もの》を倒《たお》したり、巣《す》の中《なか》でキノコを育《そだ》てたりする働《はたら》きは、昆虫界最強《こんちゅうかいさいきょう》。アリは「社会性昆虫《しゃかいせいこんちゅう》」と言《い》い、たくさんの仲間《なかま》といろいろな仕事《しごと》を分担《ぶんたん》し、きそく正《ただ》しく生活《せいかつ》しています。

「アリを食《た》べる」と聞《き》くと、あんな小《ちい》さなものでお腹《なか》いっぱいになるの？　とびっくりするでしょうか。しかし、アリは集団《しゅうだん》で生活《せいかつ》しているので、巣《す》を狙《ねら》うと一度《いちど》にたくさんとれます。**体《からだ》を元気《げんき》にしてくれるミネラルも豊富《ほうふ》なので、食材《しょくざい》として大《おお》いにアリ**なのです。

タイでよく食《た》べられるのは木《き》の上《うえ》のツムギアリ

虫《むし》をよく食《た》べるタイやラオスなどでは、木《き》の上《うえ》に巣《す》を作《つく》るツムギアリの幼虫《ようちゅう》やさなぎを、スープなどに使《つか》います。口《くち》の中《なか》でプチッとはじけると、甘《あま》エビのようなコクと同時《どうじ》に、すっぱさが広《ひろ》がります。**すっぱさの正体《しょうたい》は、敵《てき》から身《み》を守《まも》るために持《も》つ「ギ酸《さん》」**（※持《も》たない種類《しゅるい》もいる）。そのすっぱさを、ドレッシングに使《つか》う国《くに》もあります。

日本《にほん》では昔《むかし》、ヤマアカアリを入《い》れた「チョコアンリ」というチョコレートが作《つく》られていました。海外《かいがい》で大人気《だいにんき》だったのですが、残念《ざんねん》ながら今《いま》では販売《はんばい》されていません。ツムギアリは水煮《みずに》にした缶詰《かんづめ》や冷凍《れいとう》品《ひん》を、タイ食材専門店《しょくざいせんもんてん》などで手《て》に入《い》れることができます。

赤《あか》アリの卵《たまご》のスープ

料理例《りょうりれい》

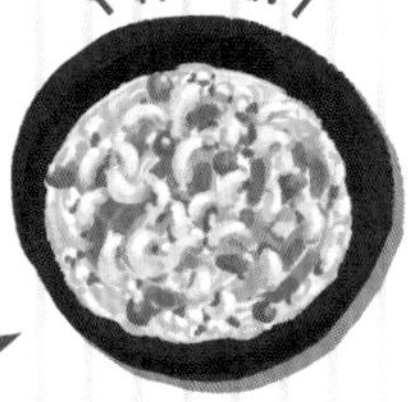

プチッとはじけて少《すこ》しすっぱいイクラのよう

揚《あ》げたサソリはサクサクでスナックのような味《あじ》がする

DATA データ

分類《ぶんるい》	食用《しょくよう》にする国《くに》・地域《ちいき》	代表的《だいひょうてき》な料理《りょうり》	味《あじ》のとくちょう
クモ類《るい》	中国《ちゅうごく》	素揚《すあ》げ、いため物《もの》	コクが強《つよ》いエビ味《あじ》、内臓《ないぞう》はカニみそのよう

大《おお》きなハサミと、尾《お》の先《さき》についた鋭《するど》い針《はり》。見《み》た目《め》からしてちょっと怖《こわ》いサソリ。そんな生《い》き物《もの》を食《た》べても大丈夫《だいじょうぶ》？ と心配《しんぱい》になりますが、実《じつ》は強《つよ》い毒《どく》を持《も》つ種類《しゅるい》というのはごく一部《いちぶ》。一《いっ》般的《ぱんてき》に食用《しょくよう》にされるサソリの毒《どく》はわずかですし、刺《さ》された場合《ばあい》とちがって、食《た》べて体内《たいない》に取《と》り込《こ》んだとしてもほとんど毒性《どくせい》は発揮《はっき》されないので、心配《しんぱい》はいりません。気《き》をつけるべきは、他《ほか》の食《しょく》材《ざい》と同様《どうよう》に火《ひ》を通《とお》して食《た》べるということです。

素揚《すあ》げのインパクトはあまりに強烈《きょうれつ》

サソリは、古《ふる》くから中国料理《ちゅうごくりょうり》で使《つか》われています。食用《しょくよう》にする「キョクトウサソリ」が養殖《ようしょく》されているくらい、中国《ちゅうごく》では一般的《いっぱんてき》な食《しょく》材《ざい》。カラがかたいので、高温《こうおん》の油《あぶら》でしっかり揚《あ》げたり、いためたりしてサクサクに仕上《しあ》げる料理《りょうり》が多《おお》いです。**姿形《すがたかたち》がしっかり残《のこ》された素揚《すあ》げは、味《あじ》も見《み》ためもインパクト大《だい》！** エビのような味《あじ》わいがあり、人《ひと》によっては「スナック菓子《がし》のよう」だと表現《ひょうげん》されることもあります。

最近《さいきん》では**ペットとしても人気《にんき》のアジアンフォレストスコーピオン**（別名《べつめい》ダイオウサソリ）という種《しゅ》が、日本《にほん》で食用《しょくよう》として売《う》られています。10センチほどある黒《くろ》いボディはド迫力《はくりょく》！ それなりにかたいので、いざ食《た》べるときには注意《ちゅうい》しましょう。

料理例《りょうりれい》
サソリの素揚《すあ》げ
エビに似《に》たコクの強《つよ》さと香《こう》ばしさ！

ザザムシは

レア度《ど》 ★★★

長野県《ながのけん》伊那市《いなし》の高級《こうきゅう》ブランド食材《しょくざい》

DATA データ

分類《ぶんるい》	食用《しょくよう》にする国《くに》・地域《ちいき》	代表的《だいひょうてき》な料理《りょうり》	味《あじ》のとくちょう
昆虫類《こんちゅうるい》	伊那《いな》（長野県《ながのけん》）	佃煮《つくだに》	目《め》をつぶれば川《かわ》の味《あじ》が広《ひろ》がる

「ザザムシってどんな虫《むし》?」って思《おも》いますよね。でも、実《じつ》は、ザザムシという名前《なまえ》の虫《むし》はいません。長野県伊那市《ながのけんいなし》に流《なが》れる天竜川《てんりゅうがわ》にはトビケラ・カワゲラ・ヘビトンボなど、水《みず》にすむ昆虫《こんちゅう》がいて、それらの幼虫《ようちゅう》を伝統《でんとう》的《てき》な漁法《ぎょほう》でとり、食《た》べる文化《ぶんか》があります。その食用《しょくよう》にする川《かわ》の虫《むし》をまとめて「ザザムシ」と呼《よ》ぶのです。

口《くち》の中《なか》に広《ひろ》がる川《かわ》の虫《むし》ならではの味《あじ》わい

世界《せかい》の中《なか》でも特《とく》に珍《めずら》しい、伊那市《いなし》だけの食《た》べ物《もの》であり、とるのに資格《しかく》が必要《ひつよう》な、いわば食用《しょくよう》昆虫《こんちゅう》のブランド品《ひん》。昔《むかし》から佃煮《つくだに》などにされ、今《いま》では高級珍味《こうきゅうちんみ》として売《う》られています。そのため、子《こ》どもには見《み》せずに「大人《おとな》がこっそり食《た》べるもの」だという考《かんが》えもあるくらい。

気《き》になる味《あじ》はというと、ザザムシは川《かわ》の藻《も》を食《た》べて育《そだ》つので、ノリのような風《ふう》味《み》です。佃煮《つくだに》の味《あじ》は濃厚《のうこう》で、アツアツのご飯《はん》とも相性《あいしょう》ばっちり! 見《み》た目《め》の「昆虫感《こんちゅうかん》」を気《き》にしなければ(または目《め》をつぶれば)、パクパク食《た》べちゃうほどのうまみがあります。

今《いま》では環境《かんきょう》の変化《へんか》で川《かわ》に虫《むし》が住《す》みにくくなったり、ザザムシをとる資格《しかく》を持《も》つ人《ひと》が少《すく》なくなったりして生産量《せいさんりょう》が減《へ》っていますが、地元《じもと》では貴重《きちょう》な食文化《しょくぶんか》として後世《こうせい》に伝《つた》えていこうという努力《どりょく》がなされています。

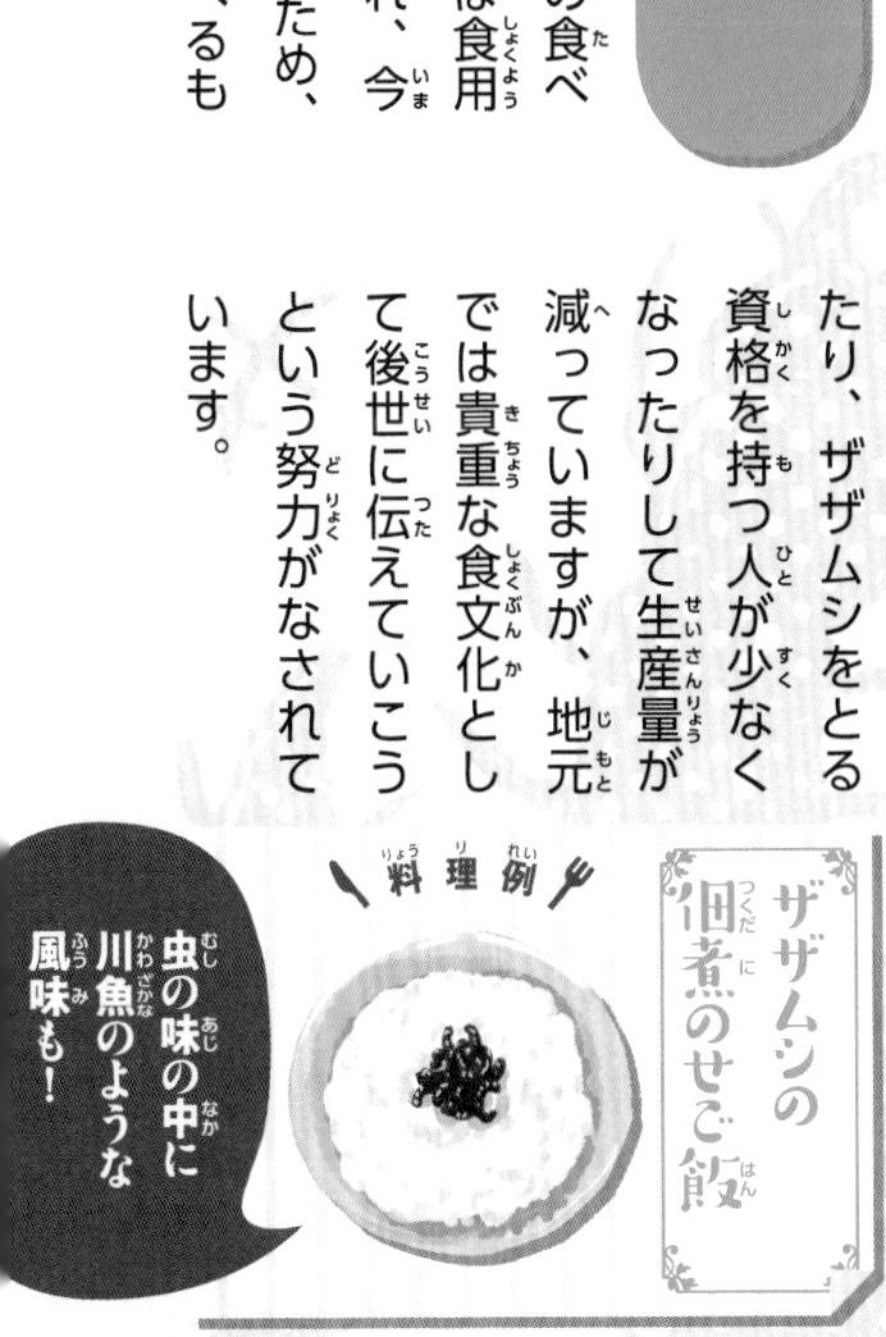
料理例《りょうりれい》
ザザムシの佃煮《つくだに》のせご飯《はん》
虫《むし》の味《あじ》の中《なか》に川魚《かわざかな》のような風味《ふうみ》も!

タガメは予想《よそう》をはるかに超《こ》える衝撃《しょうげき》の香《かお》り

レア度《ど》 ★★★

オスの香《かお》り～
君はまだ本当のタガメを知らない…

DATA データ

分類《ぶんるい》	食用《しょくよう》にする国《くに》・地域《ちいき》	代表的《だいひょうてき》な料理《りょうり》	味《あじ》のとくちょう
昆虫類《こんちゅうるい》	タイ、ラオス	タガメみそ、素揚《すあ》げ	まさかのフルーツフレーバー

ドジョウやカエル、時《とき》には毒《どく》ヘビまでを捕《つか》まえて食《た》べてしまう〝田《た》んぼのハンター〟タガメ。くさいにおいを出《だ》すカメムシの仲間《なかま》で、水《みず》の中《なか》でくらす昆虫《こんちゅう》です。**日本《にほん》でも食《た》べる地域《ちいき》はありましたが、今《いま》は数《かず》が少《すく》ない貴重《きちょう》な生《い》き物《もの》**となり、日本《にほん》に生息《せいそく》しているタガメは販売《はんばい》が禁止《きんし》されています。

見《み》た目《め》からは想像《そうぞう》できない！ まるで果物《くだもの》の風味《ふうみ》!?

タイやラオスといった東南《とうなん》アジアの国《くに》では近《ちか》い種類《しゅるい》のタイワンタガメが屋台《やたい》などで売《う》られ、日常的《にちじょうてき》に食《た》べられています。日本《にほん》でもテレビやユーチューブの番組《ばんぐみ》で罰《ばつ》ゲームとして食《た》べられることもあるタイワンタガメですが、実《じつ》は、**洋《よう》なしのようなフルーティな香《かお》りがする**のが特徴《とくちょう》です。見《み》た目《め》とは全《まった》く違《ちが》うオシャレなフレーバーで、「予想《よそう》を裏切《うらぎ》る意外《いがい》な風味《ふうみ》」という意味《いみ》では、この事典《じてん》の中《なか》でもトップクラス。その特徴《とくちょう》ある香《かお》りを活《い》かし、タイなどでは丸《まる》ごとつぶして香辛料《こうしんりょう》のように使《つか》われています。

また、日本《にほん》には「TAKEO《タケオ》」という昆虫食《こんちゅうしょく》専門《せんもん》の会社《かいしゃ》が売《う》り出《だ》している、タイワンタガメのエキスが入《はい》った「**タガメサイダー**」という商品《しょうひん》があります。「虫《むし》をまるごと食《た》べるのはちょっと怖《こわ》い」という人《ひと》でも、気軽《きがる》にタガメの香《かお》りを体験《たいけん》できます。

料理《りょう》理《り》例《れい》

タガメサイダー

この洋《よう》なしの風味《ふうみ》はまさにタガメ味《あじ》！

コラム3 昆《こん》虫《ちゅう》食《しょく》の未《み》来《らい》

「実《じつ》は食《た》べられる生《い》き物《もの》」。この本《ほん》の中《なか》でみなさんが一番驚《いちばんおどろ》くものは、やはり虫《むし》でしょうか？

大人《おとな》も子《こ》どもも「虫《むし》を食《た》べるなんて信《しん》じられない！」と思《おも》う人《ひと》が多《おお》いでしょうが、最近《さいきん》では、昆虫食《こんちゅうしょく》は「人類《じんるい》の救世主《きゅうせいしゅ》」とまで言《い》われるようになっています（そこまで言《い》ってしまうと大《おお》げさなのですが）。その理由《りゆう》は、このまま世界《せかい》の人口《じんこう》が増《ふ》え続《つづ》けると、近《ちか》い将来《しょうらい》、地球上《ちきゅうじょう》の食《た》べ物《もの》が足《た》りなくなるから。ちなみに今《いま》の人口《じんこう》は、75億人《おくにん》を超《こ》えていて、2030年《ねん》には90億人《おくにん》近《ちか》くになると予想《よそう》されています。

そこで、国境《こっきょう》を越《こ》えて世界《せかい》の「食《しょく》」について考《かんが》える専門家《せんもんか》たちの集《あつ》まり（「国際連合食糧農業機関《こくさいれんごうしょくりょうのうぎょうきかん》」といいます）がいろいろな可能性《かのうせい》について論議《ろんぎ》した結果《けっか》、「食料不足問《しょくりょうぶそくもん》題《だい》を解決《かいけつ》するのは昆虫食《こんちゅうしょく》だ」という発表《はっぴょう》をし、世界中《せかいじゅう》が昆虫食《こんちゅうしょく》を「未《み》来食《らいしょく》」として注目《ちゅうもく》するようになったのです。

人類《じんるい》は進化《しんか》する前《まえ》から虫《むし》を食《た》べてきた

「そもそも、虫《むし》って食《た》べられるの？」と思《おも》う人《ひと》も多《おお》いでしょう。でも、人《じん》類《るい》はヒトに進化《しんか》する前《まえ》の猿《さる》の時代《じだい》から、虫《むし》を食《た》べてきました。

人間《にんげん》はイモや米《こめ》、小麦《こむぎ》などの穀物《こくもつ》からとれる「炭水化物《たんすいかぶつ》」でエネルギーをつくるのですが、体《からだ》の材料《ざいりょう》となる「たんぱく質《しつ》」がないと生《い》きられません。

たんぱく質《しつ》は動物《どうぶつ》の肉《にく》や魚《さかな》からとれる栄養素《えいようそ》ですが、虫《むし》からもとることができます。虫《むし》ならば比較的《ひかくてき》手軽《がる》に、あまり危険《きけん》をおかすことなくとることができるうえ、栄養《えいよう》もたっぷり。そのため、人類《じんるい》が進化《しんか》する過《か》程《てい》でも、重要《じゅうよう》な栄養源《えいようげん》となってきました。

さらに、ヒトに進化《しんか》してからも人《じん》

コラム 3

昆虫食《こんちゅうしょく》の未来《みらい》

類《るい》は虫《むし》を食《た》べ続《つづ》け、今《いま》でもアジアやアフリカ地域《ちいき》を中心《ちゅうしん》に2千種《せんしゅ》以上《いじょう》の虫《むし》が食《た》べられています。

虫《むし》は自然《しぜん》を守《まも》りながら少《すく》ない資源《しげん》で育《そだ》てられる

なのに、なぜ今《いま》の日本《にほん》では、給食《きゅうしょく》やコンビニで食用《しょくよう》の虫《むし》を見《み》かけないのでしょう。それは、食《た》べてきた歴史《れきし》があっても、時代《じだい》の移《うつ》り変《か》わりとともに食生活《しょくせいかつ》や価値観《かちかん》も変《か》わっていくからです。これは日本《にほん》だけでなく、多《おお》くの国《くに》で起《お》きてきた現象《げんしょう》。

そんな中《なか》、今《いま》の食料危機問題《しょくりょうききもんだい》が出《で》てきてから、改《あらた》めて昆虫食《こんちゅうしょく》を見直《みなお》し、実《じつ》にたくさんのいいことがあると気《き》づいたのです。

まずは栄養面《えいようめん》。昆虫《こんちゅう》の多《おお》くはたんぱく質《しつ》のほか、人間《にんげん》の体《からだ》に必要《ひつよう》な脂質《ししつ》やビタミン、ミネラルもとれるので栄養満点《えいようまんてん》です。

次《つぎ》に、環境問題《かんきょうもんだい》。これまで先進国《せんしんこく》では、主《おも》に牛《うし》や豚《ぶた》などの家畜《かちく》の肉《にく》を食《た》べてたんぱく質《しつ》をとってきましたが、家畜《かちく》のゲップやフンは「温室効《おんしつこう》果《か》ガス」を生《う》み出《だ》します。そのガスは地球《ちきゅう》の気温《きおん》を上《あ》げ、自然《しぜん》を破壊《はかい》することにつながります。でも、昆虫《こんちゅう》なら生《う》み出《だ》す温室効果《おんしつこうか》ガスの量《りょう》が比較的少《ひかくてきすく》ないということがわかりました。

また、同《おな》じ量《りょう》の牛《うし》とコオロギを育《そだ》てる場合《ばあい》を比《くら》べると、コオロギの場合《ばあい》はエサの量《りょう》が4分《ぶん》の1ですみ、広《ひろ》い土地《とち》がなくても育《そだ》てることができます。

つまり、地球上《ちきゅうじょう》の限《かぎ》りある資源《しげん》を効率《こうりつ》よく使《つか》えるのです。そして何《なに》よりも重要《じゅうよう》なのは、きちんと料理《りょうり》すればちゃんとおいしく食《た》べられること！

足《た》りない栄養《えいよう》を補《おぎな》えると同時《どうじ》に、自然《しぜん》にやさしい。これが「虫《むし》が地球《ちきゅう》を救《すく》う」と言《い》われる理由《りゆう》です。ただし、注意《ちゅうい》したいのは、虫《むし》さえ食《た》べればすべてが解決《かいけつ》するわけではないことです。

ひとりひとりが未来《みらい》の問題《もんだい》に目《め》を向《む》けながら、日々《ひび》の食《た》べ物《もの》について時《とき》には立《た》ち止《ど》まって考《かんが》えるということが、きっとこの地球《ちきゅう》を守《まも》ることにつながるはずです。

ムシモアゼルギリコ
（虫食《むしく》いライター）

第《だい》4章《しょう》

日《に》本《ほん》以《い》外《がい》では

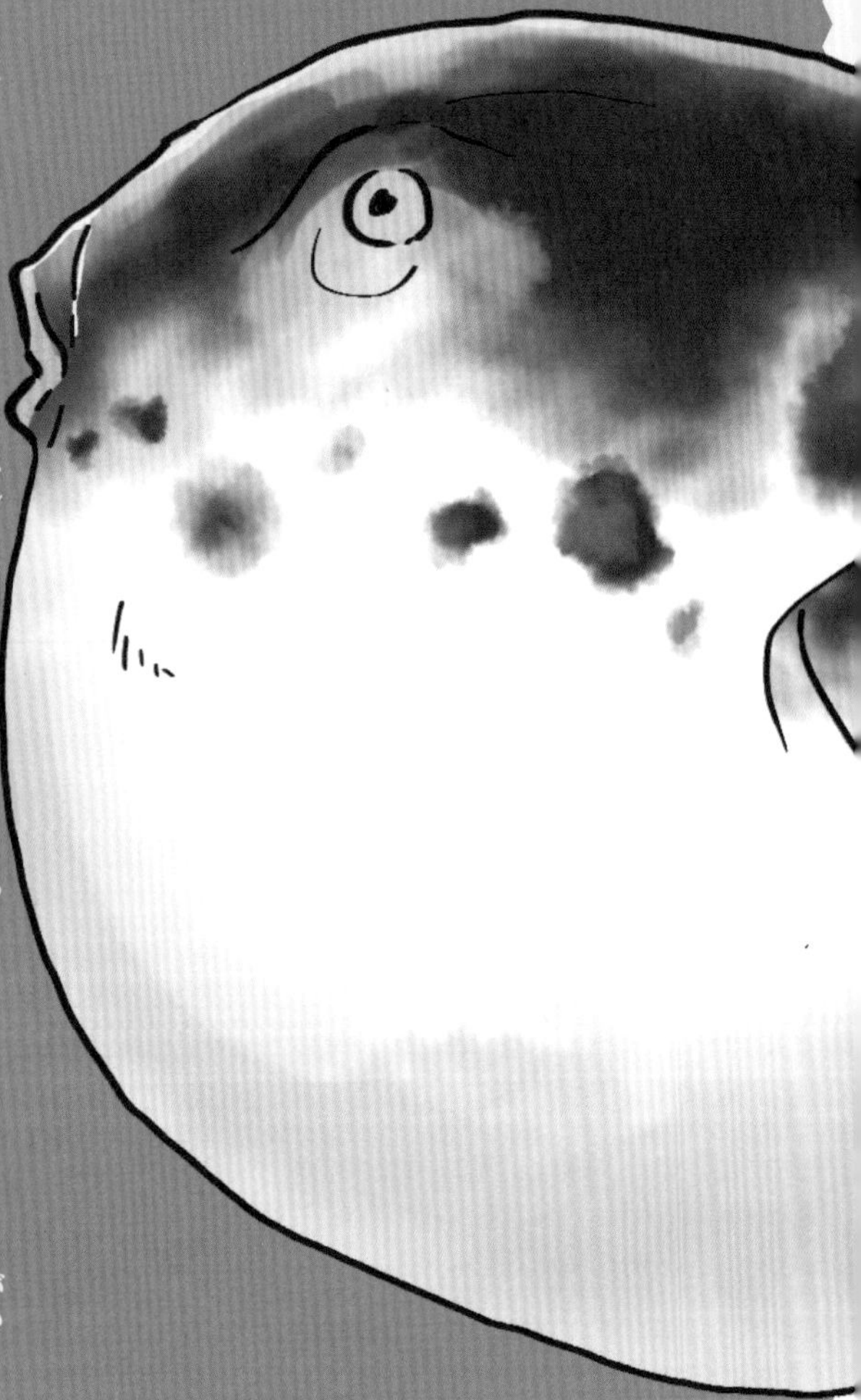

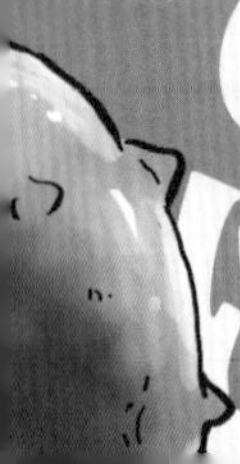

あまり食《た》べられない生《い》き物《もの》たち

タコはヨーロッパの多《おお》くの国《くに》で「悪《あく》魔《ま》の魚《さかな》」と呼《よ》ばれ嫌《きら》われてきた

日本《にほん》では当《あ》たり前《まえ》のものが海外《かいがい》ではちがう

寿司《すし》ネタでは定番《ていばん》のタコとイカ。祭《まつ》りの屋台《やたい》でも、タコ焼《や》きやイカ焼《や》きは欠《か》かせませんよね。日本《にほん》では、近海《きんかい》でたくさんとれたタコとイカが、昔《むかし》から食《た》べられていたことがわかっています。縄文時代《じょうもんじだい》の遺跡《いせき》からは、タコ壺《つぼ》のような器《うつわ》や、イカの形《かたち》をした土器《どき》が出土《しゅつど》しています。

どちらもあまりに普通《ふつう》の食材《しょくざい》すぎてピンとこないかもしれませんが、実《じつ》は、**海外《かいがい》では食《た》べる地域《ちいき》が限《かぎ》られていた食材《しょくざい》**です。

昔《むかし》から食《た》べているのは、アジアと地中海地方《ちちゅうかいちほう》の一部《いちぶ》くらい。比較的《ひかくてき》なんでも食《た》べる中国《ちゅうごく》でもあまり食《た》べられなかったようです。また、イスラム教《きょう》には「**ヒレやウロコのない魚介類《ぎょかいるい》**は食《た》べてはいけない」という教《おし》えを守《まも》る学派《がくは》があり、そういった学派《がくは》の人《ひと》たちはタコやイカ、ウナギなどを避《さ》けます。ユダヤ教《きょう》にも同《おな》じような戒律《かいりつ》（決《き》まり）があります。また、ヨーロッパの国々《くにぐに》でも、タコはその風貌《ふうぼう》から「デビルフィッシュ」（悪魔《あくま》の魚《さかな》）と呼《よ》ばれて嫌《きら》われてきました。

「おいしい」料理《りょうり》が世界《せかい》を変《か》える

ですが、近年《きんねん》では日本食《にほんしょく》ブームや地中海料理《ちちゅうかいりょうり》の広《ひろ》まりにより、これまで食《た》べる文化《ぶんか》のなかった国《くに》でも食《た》べられるようになってきています。タコ焼《や》きを好《す》きな外国人《がいこくじん》も増《ふ》えていて、〝食《く》わず嫌《ぎら》い〟だった人《ひと》たちが減《へ》ってきているのかもしれないですね。

ナマコは「黒《くろ》いダイヤ」と呼《よ》ばれ、中《ちゅう》国《ごく》で高《こう》級《きゅう》食《しょく》材《ざい》となっている

アタシ中国デハ
ブラックダイヤモンド〜

ナマコはヒトデやウニの仲間《なかま》

危険《きけん》を感《かん》じると内臓《ないぞう》を吐《は》き出《だ》して逃《に》げる、捨《す》て身戦法《みせんぽう》を使《つか》うナマコ。外見《がいけん》からは共通点《きょうつうてん》を見《み》つけにくいのですが、ヒトデやウニの仲間《なかま》です。高級食材《こうきゅうしょくざい》のウニに近《ちか》いと言《い》われても、ちょっと食欲《しょくよく》をそそる姿《すがた》ではありませんよね。

しかしこれが、**コリコリした食感《しょっかん》で、磯《いそ》の香《かお》りがする貝《かい》のような味《あじ》**なのです。ヌメリですべるため切《き》るのが難《むずか》しいですが、生《なま》のまま、または軽《かる》く湯通《ゆどお》しをし、内臓《ないぞう》をとって塩《しお》もみをしたら、ポン酢《ず》をかけていただきます。また、**内臓《ないぞう》を塩漬《しおづ》けにした「このわた」という珍味《ちんみ》**も食《た》べられています。最初《さいしょ》に食《た》べてみた昔《むかし》の人《ひと》に感謝《かんしゃ》です。

中国《ちゅうごく》で高《たか》く売《う》れるため違法《いほう》にとられることも

そんなナマコを生《なま》でそのまま食《た》べるのは日本《にほん》人《じん》くらいなのですが、中国《ちゅうごく》では乾燥《かんそう》ナマコを水《みず》で戻《もど》して調理《ちょうり》されたものが「四大珍味《よんだいちんみ》」のひとつとされ、大人気《だいにんき》。**ナマコには体《からだ》に良《よ》い成《せい》分《ぶん》が含《ふく》まれていて健康《けんこう》に良《よ》いとされ、**漢方薬《かんぽうやく》などにも使《つか》われているのです。そのため、乾燥《かんそう》ナマコは「黒《くろ》いダイヤ」と呼《よ》ばれていて、大変《たいへん》な高級品《こうきゅうひん》とされています。

ただ、中国《ちゅうごく》であまりに高《たか》く売《う》れるため、北海《ほっかい》道《どう》や青森県《あおもりけん》ではナマコが違法《いほう》にとられて輸出《ゆしゅつ》され、問題《もんだい》にもなっています。罰金《ばっきん》の上限《じょうげん》を引《ひ》き上《あ》げるなどの対策《たいさく》がなされていますが、密漁《みつりょう》を防《ふせ》ぐ手立《てだ》てはなかなか見《み》つかっていません。

猛《もう》毒《どく》のあるフグを

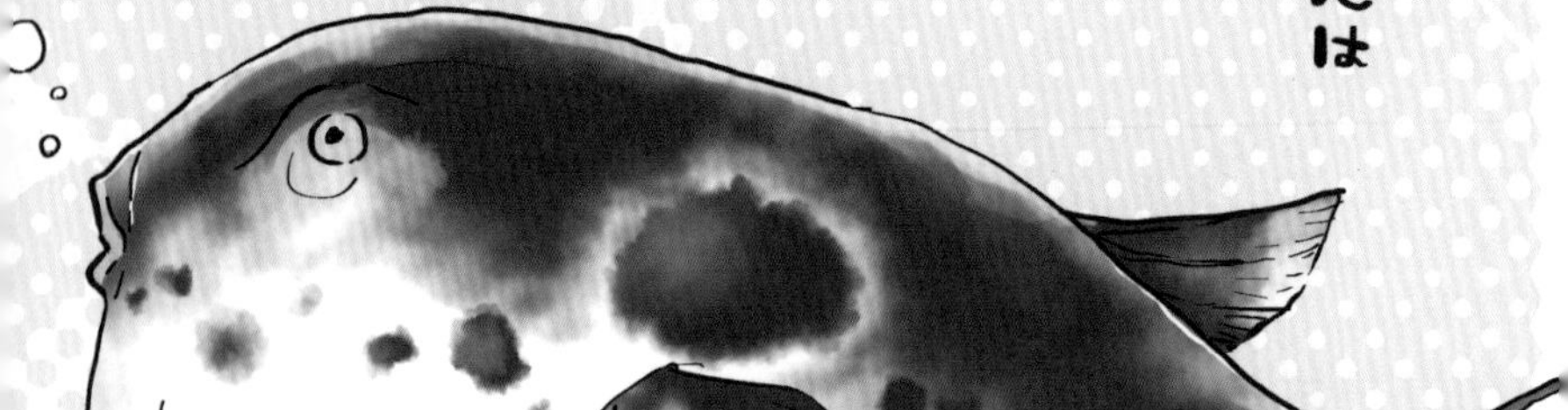

食《た》べる日《に》本《ほん》人《じん》は珍《めずら》しい

世界《せかい》がギョッとする日本《にほん》の食《た》べ物《もの》ナンバーワンといえば、やはりフグでしょう。よく知《し》られているように、フグには「テトロドトキシン」という毒《どく》が含《ふく》まれています。2～3ミリグラムほど口《くち》にしただけで死《し》に至《いた》り、加熱《かねつ》してもダメ、解毒剤《げどくざい》もなしと、どうにもならない猛毒《もうどく》です。

フグの仲間《なかま》は120種以上《しゅいじょう》が知《し》られていますが、トラフグのような食用《しょくよう》となるフグ以外《いがい》は、絶対《ぜったい》に食《た》べてはいけません。また、食用《しょくよう》だとしても、体《からだ》の中《なか》の毒《どく》を含《ふく》む部位《ぶい》と含《ふく》まない部位《ぶい》が種《しゅ》によってちがうので、知識《ちしき》を持《も》たずに料理《りょうり》するのはとても危険《きけん》です。

こんなあぶない魚《さかな》をよく食《た》べるのは日本《にほん》と韓国《かんこく》、東南《とうなん》アジアの一部地域《いちぶちいき》くらいなのですが、日本《にほん》にはさらに驚《おどろ》くべき、フグを使《つか》った伝統食《でんとうしょく》があります。

なぜか毒《どく》が消《き》えるという不思議《ふしぎ》な伝統食《でんとうしょく》

それは、石川県《いしかわけん》のごく一部《いちぶ》で伝統的《でんとうてき》に作《つく》られている「ふぐの子《こ》 ぬか漬《づ》け」。**フグの体内《たいない》でも特《とく》に毒《どく》が多《おお》く含《ふく》まれている卵巣《らんそう》を、2～3年《ねん》ほど塩漬《しおづ》けとぬか漬《づ》けにしたもの**です。煮《に》ても焼《や》いてもダメなフグ毒《どく》が、この調理法《ちょうりほう》だとなぜ消《き》えるのか、実《じつ》はまだよくわかっていません。

また、フグは生《う》まれつき毒《どく》を持《も》つわけではないので、養殖《ようしょく》で無毒《むどく》のフグを育《そだ》て、肝臓《かんぞう》を食用《しょくよう》にする試《こころ》みも行《おこな》われています。養殖《ようしょく》フグの肝臓《かんぞう》はまだ食用《しょくよう》として認《みと》められていませんが、どうしてもフグのキモ（肝臓《かんぞう》）を食《た》べたいという、日本人《にほんじん》の並々《なみなみ》ならぬ情熱《じょうねつ》が感《かん》じられます。

世界中《せかいじゅう》のウニのほとんどは日本《にほん》で食《た》べられている

日本人《にほんじん》は大昔《おおむかし》からウニを食《た》べていた

触《さわ》るとケガするぜ、と全身《ぜんしん》で主張《しゅちょう》してくるトゲトゲの生《い》き物《もの》、ウニ。決《けっ》して食《た》べ物《もの》らしい姿《すがた》はしていませんが、高級食材《こうきゅうしょくざい》のひとつです。食《た》べられる黄色《きいろ》い部分《ぶぶん》は、ウニの卵《たまご》や白子《しらこ》。濃厚《のうこう》な磯《いそ》の香《かお》りの奥《おく》に甘《あま》みが感《かん》じられ、好《す》きな人《ひと》にはたまりません。**何《なに》しろ縄文時代《じょうもんじだい》の遺跡《いせき》からもウニのカラが出《で》てくる**のですから、日本人《にほんじん》のウニ好《ず》きは筋金入《すじがねい》りです。

日本《にほん》には世界各地《せかいかくち》のウニが流通《りゅうつう》している

そんなウニもまた、「こんなモノ食《た》べるの!?」と海外《かいがい》の人《ひと》から驚《おどろ》かれることの多《おお》い食材《しょくざい》のひとつ。日本以外《にほんいがい》で食《た》べられる国《くに》と言《い》えば、韓国《かんこく》や中国《ちゅうごく》、フランス、チリなど少数《しょうすう》です。チリでとれるチリウニは、世界《せかい》のウニ流通量《りゅうつうりょう》の半分以上《はんぶんいじょう》を占《し》めています。他《ほか》に、アメリカやカナダでもとられています。ただし、消費量《しょうひりょう》で見《み》れば日本《にほん》が圧倒的《あっとうてき》。**世界《せかい》でとれるウニの8〜9割《わり》は、日本《にほん》で食《た》べられている**のです。チリやアメリカでとれたウニも、ほとんどが日本《にほん》に輸出《ゆしゅつ》されています。本来《ほんらい》だと高価《こうか》なウニを回転寿司《かいてんずし》などで気軽《きがる》に食《た》べられる背景《はいけい》には、これら**安《やす》い輸入《ゆにゅう》ウニの存在《そんざい》**があるのです。

ウニは鮮度《せんど》が落《お》ちるとすぐに味《あじ》が悪《わる》くなります。最近《さいきん》は保存技術《ほぞんぎじゅつ》も発達《はったつ》して、輸入《ゆにゅう》ウニの味《あじ》も以前《いぜん》より良《よ》くなっていますが、やはり国産《こくさん》の方《ほう》が人気《にんき》は高《たか》いです。

生《なま》のノリを消《しょう》化《か》できるのは日《に》本《ほん》人《じん》だけ？

ノリは海外《かいがい》では得体《えたい》の知《し》れない黒《くろ》い物体《ぶったい》？

ノリとは、海《うみ》や川《かわ》の岩《いわ》などにまるでコケのように生《は》えている「藻類《そうるい》」を、生《なま》のままや佃煮《つくだに》、または板状《いたじょう》に乾燥《かんそう》させて食《た》べられるようにしたものです。藻類《そうるい》は動物《どうぶつ》とも陸上植物《りくじょうしょくぶつ》とも異《こと》なる生《い》き物《もの》のうち、光合成《こうごうせい》する生《い》き物《もの》をまとめたもののこと。

日本人《にほんじん》にとってはおにぎりやお寿司《すし》に欠《か》かせない、きわめて身近《みぢか》な食《た》べ物《もの》ですが、世界的《せかいてき》に見《み》るとかなり珍《めずら》しい食材《しょくざい》でもあります。

食《た》べ物《もの》と知《し》らなければ黒《くろ》い紙《かみ》にしか見《み》えないので、アメリカではノリを酢《す》飯《めし》の内側《うちがわ》に隠《かく》して見《み》えないようにした巻《ま》き寿司《ずし》、「カリフォルニアロール」が開発《かいはつ》されたくらいです。ただ、世界的《せかいてき》な寿司《すし》ブームによって、最近《さいきん》は海外《かいがい》の人《ひと》たちにもノリがそれほど抵《てい》抗《こう》なく食《た》べられるようになってきているようです。

生《なま》ノリの消化《しょうか》について研究《けんきゅう》したチーム

2010年《ねん》には**「生《なま》のノリを消化《しょうか》できるのは日本人《にほんじん》だけ」という研究結果《けんきゅうけっか》をフランスの研究《けんきゅう》チームが発表《はっぴょう》**しました。昔《むかし》から生《なま》ノリを食《た》べていたため、「一部《いちぶ》の日本《にほん》人《じん》は生《なま》ノリを消化《しょうか》する腸内細菌《ちょうないさいきん》を獲得《かくとく》したのではないか」という興味深《きょうみぶか》い研究《けんきゅう》です。

ただ、この説《せつ》は「データが不十分《ふじゅうぶん》だ」として異論《いろん》も出《で》ており、より正確《せいかく》な事実《じじつ》を知《し》るには今《こん》後《ご》のさらなる研究《けんきゅう》が待《ま》たれます。

コラム4 宗教上《しゅうきょうじょう》の理由《りゆう》で食《た》べてはいけないもの

いろいろな悩《なや》みを乗《の》り越《こ》えたり、安心《あんしん》した気持《きも》ちを満《み》たすために、人《にん》間《げん》や自然《しぜん》を超《こ》えた存在《そんざい》を信《しん》じることを信仰《しんこう》と言《い》います。その信仰《しんこう》についての考《かんが》え方《かた》や、やり方《かた》をまとめたものが「宗教《しゅうきょう》」。地球上《ちきゅうじょう》で多《おお》くの人《ひと》に信仰《しんこう》されているのは、キリスト教《きょう》、イスラム教《きょう》、仏教《ぶっきょう》です。宗教《しゅうきょう》の中《なか》には「食《た》べてはいけない」と決《き》められたものがあります。例《たと》えば、インドを中心《ちゅうしん》とするヒンドゥー教《きょう》では、牛《うし》が食《た》べられません。牛《うし》は神《かみ》の使《つか》いだからです。とても大事《だいじ》にされていて、道《みち》を塞《ふさ》いでいても、牛《うし》がどいてくれるまで待《ま》つくらい。

イスラム教《きょう》では「決《き》められた方法《ほうほう》で処理《しょり》した食物《しょくもつ》（ハラールといいます）」だけが食《た》べられます。でも、豚《ぶた》や犬《いぬ》は絶対《ぜったい》に食《た》べてはいけません。魚《さかな》などにも決《き》まりはありますが、宗派《しゅうは》や解釈《かいしゃく》によって食《た》べていい範囲《はんい》が変《か》わります。

ユダヤ教《きょう》も豚《ぶた》を食《た》べませんし、ウロコのない魚《さかな》も食《た》べてはいけません。馬《うま》とラクダもダメです。

キリスト教《きょう》に大《おお》きな決《き》まりはありませんが、カトリックというグループには「金曜日《きんようび》は肉《にく》を食《た》べない」習《しゅう》慣《かん》がありました。イエス・キリストが処刑《しょけい》されたのが金曜日《きんようび》だったため、鳥獣《ちょうじゅう》の肉《にく》を食《た》べず、心《こころ》と体《からだ》をきれいにするためとされています。金《きん》曜日《ようび》は、食《た》べるとしても魚《さかな》。マクドナルドがフィッシュバーガーを売《う》り始《はじ》めたのも、キリスト教徒《きょうと》の多《おお》いアメリカで、金曜日《きんようび》は肉《にく》を使《つか》ったハンバーガーが売《う》れないからなのだとか。

コラム4 宗教上《しゅうきょうじょう》の理由《りゆう》で食《た》べてはいけないもの

ちなみに安土桃山時代《あづちももやまじだい》、日本《にほん》へキリスト教《きょう》を広《ひろ》めるポルトガル人宣教師《じんせんきょうし》がやって来《き》ましたが、彼《かれ》らも金曜日《きんようび》は魚《さかな》を食《た》べていました。キリスト教《きょう》の寺院《じいん》を彼《かれ》らの言葉《ことば》で「テンプロ」といいますが、このテンプロで魚《さかな》のフライを食《た》べていたのが「てんぷら」の原型《げんけい》だという説《せつ》があります。

日本《にほん》では長《なが》い間《あいだ》、肉食《にくしょく》が禁止《きんし》されてきた

仏教《ぶっきょう》には特《とく》に食《た》べてはいけないものはありませんが、真剣《しんけん》に信仰《しんこう》にとりくむ仏教徒《ぶっきょうと》は殺生戒《せっしょうかい》（生《い》き物《もの》を殺《ころ》してはいけない決《き》まり）を守《まも》り、肉《にく》や魚《さかな》を食《た》べない菜食主義《さいしょくしゅぎ》の場合《ばあい》があります。日本《にほん》でも、庶民《しょみん》はともかく、昔《むかし》は仏《ほとけ》に仕《つか》える僧侶《そうりょ》は菜食《さいしょく》が中心《ちゅうしん》でした。

宗教《しゅうきょう》や文化《ぶんか》による決《き》まりごとは、時代《じだい》によって変《か》わってゆきます。日本《にほん》では675年《ねん》に天武天皇《てんむてんのう》が殺生禁止令《せっしょうきんしれい》を出《だ》し、牛《うし》・馬《うま》・猿《さる》・鶏《にわとり》・犬《いぬ》を食《た》べることを禁止《きんし》しています。他《ほか》の肉《にく》や魚《さかな》まで全部禁止《ぜんぶきんし》したわけではないのですが、江戸時代《えどじだい》になっても「殺生《せっしょう》はよくない」という考《かんが》え方《かた》が広《ひろ》まっていたので、肉《にく》はあまり食《た》べませんでした。

ですが、鳥《とり》は食《た》べても許《ゆる》されるものだったようで、ちょくちょく食《た》べられています。なぜかウサギは「ウとサギだから鳥《とり》だ」という屁理屈《へりくつ》で食《た》べていたとも。また、鹿《しか》、猪《いのしし》、馬《うま》なども「これは薬《くすり》」と言《い》って食《た》べているので、肉《にく》を全《まった》く食《た》べなかったわけではありません。とはいえ、堂々《どうどう》と牛肉《ぎゅうにく》や豚肉《ぶたにく》を食《た》べるようになるのは肉食禁止令《にくしょくきんしれい》が取《と》り消《け》された、明治時代以後《めいじじだいいご》のことです。

世界中《せかいじゅう》で豚《ぶた》は食用《しょくよう》でしたが、牛《うし》や馬《うま》は荷物《にもつ》を運《はこ》んだり、畑《はたけ》を耕《たがや》したり、牛乳《ぎゅうにゅう》を取《と》ったりするための貴重《きちょう》な存在《そんざい》でした。ですから、そう簡単《かんたん》に殺《ころ》して食《た》べることはありませんでした。ヨーロッパでも馬《うま》に対《たい》する感覚《かんかく》は国《くに》によって違《ちが》い、フランスやオーストリアでは食《た》べる一方《いっぽう》、イギリスでは食べません。ウサギなど「かわいい」動物《どうぶつ》も、最近《さいきん》はペットとして飼《か》われることが多《おお》いので、おいしくてもなんとなく食《た》べにくい、という人《ひと》も多《おお》いようです。

松原《まつばら》始《はじめ》（動物行動学者《どうぶつこうどうがくしゃ》）

に
た
たち

第《だい》5章《しょう》

過《か》去《こ》食《た》べられ生《い》き物《もの》

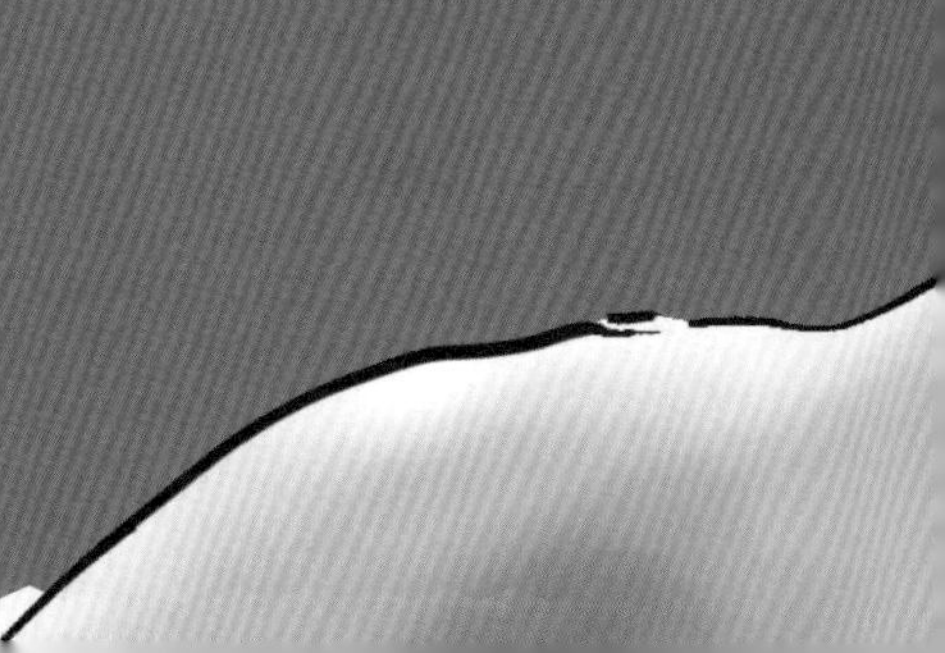

アフリカの難民《なんみん》はジャングルで生《い》き延《の》びるためにゴリラを食《た》べた

「ゴリラって食《た》べていいの？」

これは答《こた》えるのが難《むずか》しい質問《しつもん》です。

日本《にほん》では動物園《どうぶつえん》でしか見《み》られないゴリラ。野《や》生《せい》のゴリラはアフリカの一部《いちぶ》にだけ生息《せいそく》し、絶《ぜつ》滅《めつ》の心配《しんぱい》があるため保護《ほご》されている生《い》き物《もの》です。そういう意味《いみ》では「食《た》べてはいけない生《い》き物《もの》」です。

一方《いっぽう》で、こんな話《はなし》があります。1990年代《ねんだい》にアフリカのルワンダという国《くに》で内戦《ないせん》があった時《とき》のこと。戦地《せんち》を逃《のが》れた人《ひと》たちは国《くに》を離《はな》れてタンザニアに行《い》くのですが、そもそも、そこに十《じゅう》分《ぶん》な食料《しょくりょう》が用意《ようい》されているわけではありません。そこで、難民《なんみん》と呼《よ》ばれる人《ひと》たちはジャングルにキャンプを張《は》り、**生《い》き抜《ぬ》くためにゴリラやチンパンジーをつかまえて食《た》べた**と言《い》われています。

アフリカの一部《いちぶ》地域《ちいき》には ゴリラを食《た》べる習慣《しゅうかん》がある

そうして命《いのち》をつないできた人《ひと》たちに対《たい》して、「ゴリラを食《た》べた、いけない人《ひと》たち」とあなたは思《おも》うでしょうか？

こうした例《れい》に限《かぎ》らず、アフリカの一部《いちぶ》地域《ちいき》にはゴリラの肉《にく》を食《た》べてきた習慣《しゅうかん》があります。ゴリラが保護《ほご》されるべき動物《どうぶつ》にちがいはありませんが、そこに生《い》きる人《ひと》たちにとっては貴重《きちょう》な食《しょく》料《りょう》となる場合《ばあい》もある、というのも事実《じじつ》です。

ちなみに、1980年代《ねんだい》にコンゴ共和国《きょうわこく》でゴリラの肉《にく》を食《た》べたというノンフィクション作《さっ》家《か》の高野秀行《たかのひでゆき》さんは、著書《ちょしょ》『辺境《へんきょう》メシ』（文藝《ぶんげい》春秋《しゅんじゅう》）の中《なか》で、「**顎《あご》が痛《いた》くなるような赤身《あかみ》の固《かた》い肉《にく》**」だったと述《の》べています。

昔《むかし》、南《なん》極《きょく》探《たん》検《けん》隊《たい》はペンギンを食《た》べた

ペンギンといえば、まず南極《なんきょく》をイメージする人《ひと》が多《おお》いと思《おも》いますが、オーストラリアや南《なん》米《べい》、アフリカなど南極《なんきょく》を取《と》り巻《ま》く地域《ちいき》に広《ひろ》く生《せい》息《そく》する生《い》き物《もの》。だからと言《い》って、ペンギンを食《た》べる文化《ぶんか》というのはあまりなく、「やむにやまれず」または、「実験的《じっけんてき》に」食《た》べた話《はなし》というのが残《のこ》されています。

その代表的《だいひょうてき》な例《れい》が、「南極探検隊《なんきょくたんけんたい》（現在《げんざい》は観《かん》測隊《そくたい》）」の話《はなし》。1910年《ねん》に日本人《にほんじん》で初《はじ》めて南《なん》極《きょく》の調査《ちょうさ》へ向《む》かった**白瀬探検隊《しらせたんけんたい》は、ペンギンをはく製《せい》にするとき、肉《にく》をみそ煮《に》にして食《た》べた**ようです。

欧米《おうべい》の探検隊《たんけんたい》も食《た》べましたが、ペンギン独特《どくとく》のにおいを「ロウソクのよう」と嫌《いや》がったと言《い》われているので、おいしくはなかったということですね（今《いま》は環境《かんきょう》を守《まも》るため、現地《げんち》のものをとって食《た》べることは全《すべ》て禁止《きんし》されています）。

フォークランド諸島《しょとう》で食《た》べられている卵《たまご》

多《おお》くの種類《しゅるい》のペンギンは自然環境《しぜんかんきょう》の変化《へんか》などにより数《かず》が減《へ》り、保護《ほご》の対象《たいしょう》となっているため捕獲《ほかく》が禁《きん》じられています。

ただ、南極圏《なんきょくけん》に近《ちか》い**フォークランド諸島《しょとう》では、ペンギンの卵《たまご》を食《た》べる文化《ぶんか》**があります。許可《きょか》された者《もの》だけがとることができ、主《おも》に地元《じもと》の住民《じゅうみん》に食《た》べられていますが、時期《じき》によっては民宿《みんしゅく》などでも食《た》べられるようです。

ニワトリの卵《たまご》とちがって、ゆで卵《たまご》にしても白《しろ》身《み》が透明《とうめい》で黄身《きみ》が透《す》けて見《み》えるのが特徴《とくちょう》。ペンギンも鳥類《ちょうるい》なので、「鳥《とり》の卵《たまご》」と言《い》ってしまえば、それまでなのですが。

アメリカではライオン肉《にく》をめぐり、問題《もんだい》となったことがある

肉食動物《にくしょくどうぶつ》の象徴《しょうちょう》である、「百獣《ひゃくじゅう》の王《おう》」ライオン。わたしたちがライオンを見《み》ることができるのは動物園《どうぶつえん》やサファリパークなどの中《なか》でだけですが、世界的《せかいてき》に見《み》てもそれはほぼ同《おな》じ。

自然《しぜん》に存在《そんざい》するのはアフリカのサバンナや草原《そうげん》と、わずかですがインドの森林《しんりん》ぐらいです。そして、**アフリカのライオンは年々《ねんねん》、数《かず》が減《へ》ってきていて、絶滅《ぜつめつ》が心配《しんぱい》**されています。

ライオンは他《ほか》の多《おお》くの動物《どうぶつ》とちがって、人間《にんげん》の狩《か》りの対象《たいしょう》にはどの国《くに》でもほとんどなっていません。狩《か》りの相手《あいて》としては強《つよ》すぎて、命《いのち》がいくつあっても足《た》りませんから。

アフリカの有名《ゆうめい》な部族《ぶぞく》のマサイ族《ぞく》には、成人《せいじん》の儀式《ぎしき》としてライオンを狩《か》る風習《ふうしゅう》がありましたが、こちらも食《た》べるためではありません。

アメリカのレストランではライオン肉《にく》を提供《ていきょう》？

ただ、全《まった》く食《た》べられないかというとそうでもなく、**アメリカのレストランでライオン肉《にく》が提供《ていきょう》**されてニュースになったこともあります。AP通信《つうしん》の報道《ほうどう》によると、イリノイ州《しゅう》で「食《た》べるためにライオンを飼育《しいく》したり、売《う》ったりするのは禁止《きんし》にする」という法案《ほうあん》が議会《ぎかい》で出《だ》されたこともあるそうです。

また、野生動物《やせいどうぶつ》を狩《か》り、毛皮《けがわ》やはく製《せい》などを持《も》ち帰《かえ》る裕福《ゆうふく》な人《ひと》たちの趣味《しゅみ》によって、ライオンが狙《ねら》われるケースもあります。これは「トロフィーハンティング」と呼《よ》ばれ、合法《ごうほう》とはいえ問題視《もんだいし》する人《ひと》たちも多《おお》く、人間《にんげん》と他《ほか》の生《い》き物《もの》との関係《かんけい》を考《かんが》えさせられるひとつの例《れい》です。

サンショウウオは食《た》べてもいいけど、オオサンショウウオはダメ

よし

オオサンショウウオは日本《にほん》にのみ生息《せいそく》する、最《もっと》も大《おお》きな両生類《りょうせいるい》のひとつです（ごく近《ちか》い種類《しゅるい》は中国《ちゅうごく》とアメリカにもいます）。体長《たいちょう》は50センチ以上《いじょう》、中《なか》には100センチを超《こ》えるものもいます。日本《にほん》では1952年《ねん》に特別天然記念物《とくべつてんねんきねんぶつ》に指定《してい》されていますが、それまでは食《た》べる地域《ちいき》がありました。

昔《むかし》の有名《ゆうめい》な美食家《びしょくか》（グルメ）である北大路《きたおおじ》魯山人《ろさんじん》は、「変《かわ》ったたべものの中《なか》で美味《うま》いものは？」と聞《き》かれたら、「山椒魚《さんしょううお》」（＝今《いま》のオオサンショウウオ）と答《こた》えると書《か》き残《のこ》し、「すっぽんを品《ひん》よくしたような味《あじ》で、非常《ひじょう》に美味《びみ》」と絶賛《ぜっさん》。「名実《めいじつ》ともに珍味《ちんみ》に価《あたい》する」とまで述《の》べています。

とはいえ、今《いま》の日本《にほん》では絶対《ぜったい》に食《た》べられないので、残念《ざんねん》ながらそれを確《たし》かめることはできま

せん。ですが、**小型《こがた》のサンショウウオは今《いま》でも、栃木県《とちぎけん》などで干物《ひもの》にされたものが道《みち》の駅《えき》や土産物屋《みやげものや》などに並《なら》んでいます。**また、串焼《くしや》きなどにして出《だ》す旅館《りょかん》やお店《みせ》も、わずかですが存在《そんざい》します。

日本《にほん》の種《しゅ》とはちがいますが、中国《ちゅうごく》では「チュウゴクオオサンショウウオ」が養殖《ようしょく》もされていて、こちらは食《た》べることができます。ただ、高《こう》級食材《きゅうしょくざい》として人気《にんき》が出《で》すぎ、密猟《みつりょう》などにより野《や》生《せい》のものは数《かず》が減《へ》りすぎたため、保護《ほご》されるようになっています。

また、過去《かこ》に食用《しょくよう》やペット目的《もくてき》で日本《にほん》に輸入《ゆにゅう》されたチュウゴクオオサンショウウオが河川《かせん》に放《はな》たれて野生化《やせいか》し、交雑《こうざつ》が進《すす》んだ結果《けっか》、日本固《にほんこ》有《ゆう》のオオサンショウウオがほとんど残《のこ》っていないという事態《じたい》にもなっています。

人類《じんるい》は昔《むかし》、マンモスを

狩《か》って食《た》べていたようだ!

漫画《まんが》やアニメで原始人《げんしじん》がかぶりついている骨《ほね》付《つ》き肉《にく》。あれがいわゆる「マンモスの肉《にく》」のイメージです。石器時代《せっきじだい》の食《た》べ物《もの》は、木《き》の実《み》や魚《さかな》、肉《にく》。マンモスもそのひとつと考《かんが》えられていますが、とても大《おお》きく力《ちから》も強《つよ》いので、捕《つか》まえるのはものすごく大変《たいへん》だったでしょう。

きっと「よく食《た》べていた」というより、沼《ぬま》にはまって動《うご》けなくなったところなどを偶然《ぐうぜん》見《み》つけたときに捕《とら》えることができた、特別《とくべつ》なごちそうだったのかも?

マンモスは約《やく》4千年前《せんねんまえ》に絶滅《ぜつめつ》したとされる大《おお》型《がた》のほ乳類《にゅうるい》。最近《さいきん》では地球温暖化《ちきゅうおんだんか》の影響《えいきょう》で、寒《さむ》い土地《とち》から冷凍《れいとう》マンモスが次々《つぎつぎ》に見《み》つかっています。さすがに冷凍《れいとう》とはいえ、4千年以上前《せんねんいじょうまえ》の肉《にく》は食《た》べられません。ですが、**マンモスの遠縁《とおえん》であるゾウの肉《にく》であれば、今《いま》でも食《た》べられている**という実態《じったい》があります。

アフリカではゾウの肉《にく》が市場《いちば》にならぶことも

ゾウは昔《むかし》からアフリカやアジアで狩《か》りの対象《たいしょう》とされ、近年《きんねん》でも高《たか》く売《う》られる牙《きば》(象牙《ぞうげ》)や食《しょく》料《りょう》となる肉《にく》の確保《かくほ》のために野生《やせい》のゾウが狩《か》られることがあります。アフリカでは家畜《かちく》ではない野生動物《やせいどうぶつ》の肉《にく》も市場《しじょう》に出回《でまわ》ることがあり、まとめてブッシュミートと呼《よ》ばれます。その中《なか》には密猟《みつりょう》されたものが混《ま》じっていることがあります。ゾウもそのひとつです。

もっとも、ゾウの肉《にく》はかたくておいしいものではないようなのですが、食料《しょくりょう》が不足《ふそく》しているためにブッシュミートに頼《たよ》る地域《ちいき》があるというのが現実《げんじつ》のようです。

コラム5

家《か》畜《ちく》・養《よう》殖《しょく》と人《じん》類《るい》

今《いま》、日本《にほん》に住《す》む私《わたし》たちは、季節《きせつ》も場所《ばしょ》も関係《かんけい》なく同《おな》じような食材《しょくざい》を日々《ひび》、食《た》べることができます。牛肉《ぎゅうにく》や豚肉《ぶたにく》、鶏肉《とりにく》、卵《たまご》、魚《さかな》がその代表《だいひょう》例《れい》。それは人間《にんげん》が、自分《じぶん》たちの生活《せいかつ》に役立《やくだ》てるために動物《どうぶつ》を飼《か》って増《ふ》やす経験《けいけん》をつみ重《かさ》ね、技術《ぎじゅつ》と知恵《ちえ》を手《て》に入《い》れてきた結果《けっか》です。

このようにして人間《にんげん》に飼《か》われるようになった動物《どうぶつ》を「家畜《かちく》」といいます。魚《さかな》の場合《ばあい》は養殖《ようしょく》といいますが、目的《もくてき》は同《おな》じです。食《た》べるためだけでなく、毛《け》や糸《いと》をとったり、畑《はたけ》を耕《たがや》したり、荷物《にもつ》を運《はこ》ばせたりなどの役割《やくわり》もありました。

人間《にんげん》ははじめ、野生《やせい》の動物《どうぶつ》を狩《か》ったり、植物《しょくぶつ》や虫《むし》をとったりすることで食《た》べ物《もの》を手《て》に入《い》れていました。野《や》生《せい》のイモもキノコも果物《くだもの》も魚《さかな》も虫《むし》も、口《くち》に入《はい》るものは何《なん》でも食《た》べたことでしょう。朝《あさ》から夜《よる》まで、ひたすら食《た》べ物《もの》を探《さが》していたのではないでしょうか。なんせ食《た》べないと、生《い》きていけませんから。

そして次第《しだい》に、効率《こうりつ》良《よ》くたくさんの食《た》べ物《もの》を得《え》るために、人間《にんげん》や一部《いちぶ》の生《い》き物《もの》は、グループで行動《こうどう》するようになります。さらに、種《たね》を植《う》えて作物《さくもつ》を収穫《しゅうかく》することや、動物《どうぶつ》を飼《か》って「増《ふ》やす」工夫《くふう》をしていきます。

そうなると、自分《じぶん》たちの手《て》で食《た》べ物《もの》を作《つく》り出《だ》すことができるようになり、人間《にんげん》は「自然《しぜん》の生態系《せいたいけい》」を外《はず》れます。今《いま》の私《わたし》たちの世界《せかい》は、そうやって作《つく》られてきたのです。

約《やく》1万年前《まんねんまえ》から人間《にんげん》の暮《く》らしが変《か》わった

ちなみに狩《か》りと採集中心《さいしゅうちゅうしん》の生活《せいかつ》から、農耕《のうこう》や家畜《かちく》で食《た》べ物《もの》を作《つく》るようになったのは、だいたい1万年前《まんねんまえ》。

一番早《いちばんはや》く家畜《かちく》になったのは、貯《た》めてある穀物《こくもつ》をネズミに食《た》べられないよう、番人《ばんにん》として飼《か》われたネコでした

コラム 5

家畜《かちく》・養殖《ようしょく》と人類《じんるい》

（食用《しょくよう》ではありません）。

次《つぎ》にイヌやウシ、そしてウマ。長《なが》い年月《ねんげつ》の間《あいだ》に、より役立《やくだ》つ形《かたち》になるよう品種改良《ひんしゅかいりょう》が続《つづ》きました。これが今《いま》、私《わたし》たちの食生活《しょくせいかつ》を支《ささ》えてくれている、家畜《かちく》です。

家畜《かちく》や養殖《ようしょく》のメリットは「コントロールできる」こと。もちろん病気《びょうき》や災害《さいがい》などがありますから、人間《にんげん》が全《すべ》てをコントロールできるわけではありません。でも、安全《あんぜん》に食《た》べられるように整《ととの》えた、必要《ひつよう》な量《りょう》の食《た》べ物《もの》が世界中《せかいじゅう》の多《おお》くのところにいきわたるのは、この技術《ぎじゅつ》のおかげです。

もし、家畜《かちく》ができなくなり、狩《か》りだけで肉《にく》を手《て》に入《い》れなくてはならなくなったら、量《りょう》が全《まった》く足《た》りませんし、今《いま》とは全《まった》く違《ちが》う世界《せかい》になるでしょう。

家畜《かちく》の肉《にく》と野生《やせい》の肉《にく》 どちらも大事《だいじ》な食料《しょくりょう》

一方《いっぽう》、この本《ほん》でも紹介《しょうかい》しているように、今《いま》でも狩猟《しゅりょう》や漁《りょう》でとった野生《やせい》の生《い》き物《もの》がたくさん食《た》べられています。いわゆる「天然《てんねん》の肉《にく》・魚《さかな》」というやつです。家畜《かちく》と違《ちが》い、自然《しぜん》の中《なか》で暮《く》らす動物《どうぶつ》をつかまえるわけですから、その時々《ときどき》でとれる量《りょう》が変《か》わります。とりすぎてしまい、その生《い》き物《もの》がこの世《よ》からいなくなってしまわないようにも、注意《ちゅうい》しなくてはいけません。

また、野生《やせい》の生《い》き物《もの》は暮《く》らす環境《かんきょう》によって味《あじ》が大《おお》きく変《か》わり、状態《じょうたい》も安定《あんてい》していません。そうやって家畜《かちく》と野生《やせい》のものを比《くら》べてみると、家畜《かちく》のほうが「食《た》べやすくていい肉《にく》」と思《おも》うでしょうか？　でも、野生《やせい》には野生《やせい》ならではの「個性《こせい》」があり、魅力的《みりょくてき》です。いろいろな味《あじ》わいがあるからこそ、自然《しぜん》の豊《ゆた》かさが感《かん》じられます。

食《た》べ物《もの》には生《い》き物《もの》の分類《ぶんるい》としての違《ちが》いだけでなく、「どこで、どのように育《そだ》ったのか」という違《ちが》いもあります。ひとことで「肉《にく》」といっても、肉《にく》になるまでのいろいろな背景《はいけい》があるのです。それを知《し》ると、食《た》べることの楽《たの》しみが広《ひろ》がり、私《わたし》たちの世界《せかい》がどうやってできているのかということも、見《み》えてくるでしょう。

ムシモアゼルギリコ
（虫食《むしく》いライター）

さくいん

さくいん

※★はレア度を表しています。

参考文献

【書籍】
『雑芸叢書. 第一 料理物語』（国書刊行会）
『西洋料理指南』敬学堂主人（雁金書屋）
『美味しいマイナー魚介図鑑』ぼうずコンニャク 藤原昌髙（マイナビ）
『食材魚貝大百科』全4巻 多紀保彦、奥谷喬司、武田正倫編（平凡社）
『南島雑話』名越左源太（電子ミュージアム奄美）
『昆虫を食べる!』水野壮（洋泉社）
『昆虫食入門』内山昭一（平凡社新書）
『スズメバチを食べる』松浦誠（北海道大学図書刊行会）
『毒学教室』鈴木勉（監修）、田中真知（著）（学習研究社）
『長野県百科事典　補訂版』信濃毎日新聞社開発局出版部編（信濃毎日新聞社）
『信州伊那谷のおいしい昆虫』企画振興課「信州伊那谷のおいしい昆虫」プロジェクトチーム（長野県伊那地域振興局）
『Edible insects Future prospects for food and feed security』FAO
『食のハラール入門　今日からできるムスリム対応』阿良田麻里子（講談社）
『サカナとヤクザ』鈴木智彦（小学館）
『辺境メシ ヤバそうだから食べてみた』高野秀行（文藝春秋）
『魯山人味道』北大路魯山人(著)、平野雅章(編)（中公文庫）
『人間はこんなものを食べてきた　小泉武夫の食文化ワンダーランド』小泉武夫（日経ビジネス人文庫）

【WEB】
農林水産省「寄生虫による食中毒に気をつけましょう」
https://www.maff.go.jp/j/syouan/seisaku/foodpoisoning/parasite.html
文化庁「天然記念物」
https://www.bunka.go.jp/seisaku/bunkazai/shokai/tennen_kinenbutsu/
環境省「外来種問題を考える」
https://www.env.go.jp/nature/intro/2outline/index.html
環境省「レッドリスト」 https://www.env.go.jp/nature/kisho/hozen/redlist/index.html
「THE IUCN RED LIST OF THREATENETD SPECIES」 https://www.iucnredlist.org
沖縄県栄養士会「うちなー料理レシピ　ヒージャー汁（山羊の汁物）」
https://okinawa-eiyo.or.jp/uchina_recipe/
三上修「スズメについてよくある質問」
https://sites.google.com/site/osamukmikami/suzume_questions
朝日新聞デジタル「宮古、石垣で野生化したクジャクが大繁殖」
http://www.asahi.com/area/okinawa/articles/MTW20999994801112 49.html
キッコーマン国際食文化研究センター「『西洋料理通』と『西洋料理指南』を読む」
http://www.kikkoman.co.jp/kiifc/tenji/tenji10/youshoku03.html
株式会社Noblesse Oblige「クイーンズオーストリッチ&ジビエ」
http://www.noblesseoblige.co.jp
ルーミート https://www.roomeat.co.jp
CNN『話題の「ラクダ」食品、世界に売り込み』 https://www.cnn.co.jp/business/35056198.html
日本経済新聞「三重の漁師町の珍味　マンボウ」
https://style.nikkei.com/article/DGXKZO85617290T10C15A4EL1P01
あまみっけ。「奄美大島瀬戸内町に漂着したワニの謎に迫る!」 http://amamikke.com/7825/
環境省自然環境局 日本ウミガメ協議会「ウミガメ保護ハンドブック」
https://www.env.go.jp/nature/kisho/guideline/SeaTurtle_Handbook.pdf
ELNA「アオウミガメを守る」 https://www.elna.or.jp/conservation-green/
食のみやこ鳥取県「ばばちゃん」 https://www.pref.tottori.lg.jp/dd.aspx?menuid=178143
日本捕鯨協会 https://www.whaling.jp
厚生労働省『「フグの肝臓の食用禁止」と「佐賀県及び佐賀県内事業者が提案する 養殖トラフグの肝臓の可食化」に関するQ&A 』
https://www.mhlw.go.jp/file/06-Seisakujouhou-11130500-Shokuhinanzenbu/0000165538.pdf

著者プロフィール

松原 始（まつばら はじめ）

動物行動学者。東京大学総合研究博物館特任准教授。

1969年奈良県生まれ。京都大学理学部卒業、同大学院理学研究科博士課程修了。京都大学理学博士。

これまでに食べた生き物はカラス、ハクビシン、ヘビ、マンボウなど多数。

最も印象に残っているのは、屋久島で食べた山羊。

『カラスの教科書』（講談社文庫）、『カラスの補習授業』（雷鳥社）、『カラス屋、カラスを食べる』（幻冬舎新書）など著書多数。

伊勢 優史（いせ ゆうじ）

海洋生物学者。

スペイン、グラン・カナリア島生まれ。京都大学農学部卒業。東京大学大学院理学系研究科博士課程修了。理学博士。

これまでに世界各地で食べた生き物はユムシ、カニビル、ウミガメなど多数。

最も印象に残っているのは、潜水調査後の船上で海人が作ってくれたハナマルユキ（貝）のラーメン（場所は伊良部島）。

最も祖先的な動物の一つと考えられている海綿動物（カイメン）の生物学が専門。カイメンは、人類史上食用になったことがなく、著者も食べたことはない。

イラスト&マンガ
ぽんとごたんだ

漫画家。

島根県出身。

これまでに食べた生き物はカエル、クジャク、サソリ、オオグソクムシなど多数。最も印象に残っているのは、ジャパン・スネークセンターで食べたヘビのフルコース。

著書に『桐谷さん ちょっそれ食うんすか!?』（双葉社）、『婚活は魔導書から』（KADOKAWA）、『井地さんちは素直になれない』（竹書房）など。

じつは食べられるいきもの事典

2020年3月20日　第1刷発行

著者　松原始／伊勢優史

発行人　蓮見清一

発行所　株式会社宝島社

〒102-8388　東京都千代田区一番町25番地

営業：03-3234-4621

編集：03-3239-0926

https://tkj.jp

印刷・製本　図書印刷株式会社

Printed in Japan

ISBN 978-4-299-00292-1

STAFF

絵・マンガ	ぽんとごたんだ
執筆・調査協力	ムシモアゼルギリコ／西川マレスケ
協力	成田崇信／「TAKEO」／「米とサーカス」／「パンとサーカス」／ 「クイーンズオーストリッチつくば」牧場長 加藤
装丁	辻中浩一＋小池万友美（ウフ）
本文デザイン&DTP	宮越甲輔／吉澤明朗／浦辺晴教／八巻泰子／河野幸恵（ビーワークス）
本文一部デザイン	Q.design